MARCO ⊕ POLO

Reisen mit Insider Tipps

KORFU

MARCO POLO Autor
Klaus Bötig

Klaus Bötig kennt und bereist Griechenland seit 1972, seitdem hat er zahlreiche Reiseführer und Zeitschriftenreportagen über das Land verfasst. Korfu war die erste griechische Insel, die er intensiv erkundete und die ihn noch immer fasziniert. Er liebt ihre alten Olivenwälder, die Strände und Steilküsten, die venezianischen Dörfer und die Eleganz der Hauptstadt. Allein der Sonnenuntergang bei Pélekas ist ihm eine Reise wert.

www.marcopolo.de/korfu

← **UMSCHLAG VORN: DIE WICHTIGSTEN HIGHLIGHTS**

Die besten Insider-Tipps → S. 4

INSIDER TIPP

Best of ... → S. 6

Stadt Korfu → S. 32

Der Norden → S. 48

4	**DIE BESTEN INSIDER-TIPPS**
6	**BEST OF ...** ● TOLLE ORTE ZUM NULLTARIF S. 6 ● TYPISCH KORFU S. 7 ● SCHÖN, AUCH WENN ES REGNET S. 8 ● ENTSPANNT ZURÜCKLEHNEN S. 9
10	**AUFTAKT**
16	**IM TREND**
18	**STICHWORTE**
24	**ESSEN & TRINKEN**
28	**EINKAUFEN**
30	**DIE PERFEKTE ROUTE**
32	**STADT KORFU** WELTKULTURERBE KÉRKYRA – EINE LEBENDIGE METROPOLE, DEREN ALTSTADT ALS DIE SCHÖNSTE DES LANDS GILT
48	**DER NORDEN** ACHARÁVI & RÓDA, ÁGIOS GEÓRGIOS, AFIÓNAS & ARILLÁS, BARBÁTI & NISSÁKI, KASSIÓPI, PALEOKASTRÍTSA, LÁKONES & LIAPÁDES

SYMBOLE

INSIDER TIPP Insider-Tipp

★ Highlight

●●●● Best of ...

☼ Schöne Aussicht

🌐 Grün & fair: für ökologische oder faire Aspekte

(*) kostenpflichtige Telefonnummer

PREISKATEGORIEN HOTELS

€€€ über 80 Euro

€€ 50–80 Euro

€ bis 50 Euro

Die Preise gelten für ein Doppelzimmer ohne Frühstück pro Nacht in der Hauptsaison

PREISKATEGORIEN RESTAURANTS

€€€ über 16 Euro

€€ 12–16 Euro

€ bis 12 Euro

Die Preise gelten für ein Fleischgericht mit Kartoffeln und griechischem Salat sowie einer halben Flasche Tafelwein

Titelthemen: Geisterdorf Paleó Chorió S. 58 | Der Sirtáki lebt S. 16

INHALT

DER SÜDEN → 68
ÁGIOS GEÓRGIOS ARGIRÁDON, ÁGIOS GÓRDIS, MESSONGÍ-MORAÍTIKA

ZENTRALES KORFU → 80
DAFNÍLA & DASSIÁ, GUVIÁ & KONTOKÁLI, PÉLEKAS, GLIFÁDA & MIRTIÓTISSA

AUSFLÜGE & TOUREN 94
SPORT & AKTIVITÄTEN 100
MIT KINDERN UNTERWEGS 104
EVENTS, FESTE & MEHR 108
LINKS, BLOGS, APPS & MORE 110
PRAKTISCHE HINWEISE 112
SPRACHFÜHRER 118
REISEATLAS 124
REGISTER & IMPRESSUM 134
BLOSS NICHT! 136

Der Süden → S. 68

Ausflüge & Touren → S. 94

Sport & Aktivitäten → S. 100

Reiseatlas → S. 124

GUT ZU WISSEN
Geschichtstabelle → S. 12
Korfu wird multikulturell → S. 22
Spezialitäten → S. 26
Esoterische Zentren → S. 56
Fisch ist Kult → S. 75
Vielseitige Zwerge → S. 92
Was kostet wie viel? → S. 113
Bücher & Filme → S. 114
Wetter → S. 117

KARTEN IM BAND
(126 A1) Seitenzahlen und Koordinaten verweisen auf den Reiseatlas
(O) Ort/Adresse liegt außerhalb des Kartenausschnitts
Es sind auch die Objekte mit Koordinaten versehen, die nicht im Reiseatlas stehen
(U A1) Koordinaten für die Karte von Stadt Korfu (Kérkyra) im hinteren Umschlag

UMSCHLAG HINTEN: FALTKARTE ZUM HERAUSNEHMEN →

FALTKARTE
(🗺 A1) verweist auf die herausnehmbare Faltkarte
(🗺 a1) verweist auf die Zusatzkarte auf der Faltkartenvorderseite

Die besten MARCO POLO Insider-Tipps

Von allen Insider-Tipps finden Sie hier die 15 besten

INSIDER TIPP Täglich frisch
Nur 20 Schritte von der Haupteinkaufsgasse der Altstadt entfernt, versteckt sich die Taverne *Bellissimo*. Drei Generationen sorgen für täglich wechselnde Köstlichkeiten und freundlichen Service → S. 43

INSIDER TIPP Königliche Badebucht
Nur wenige Korfu-Urlauber kennen im Park von *Mon Repos* die kleine Bucht, in der einst Majestäten baden gingen → S. 45

INSIDER TIPP Über den Dächern
Nur ein winziges Schild vor dem Hotel *Cavalieri* macht auf seinen Dachgarten aufmerksam, der zu Eisbechern und Cocktails hoch über der Altstadt lockt (Foto re.) → S. 46

INSIDER TIPP Hotel mit Weitblick
Das 1861 erbaute Hotel *Konstantinoúpolis* fügt sich eher unauffällig in die Häuserreihe am Alten Hafen ein. Doch der Blick aus den Fenstern und von den Balkonen reicht bis nach Albanien → S. 46

INSIDER TIPP Im Zitronenhain
Im *Lemon Garden* in Acharávi sitzen Sie zentral und doch ganz weltabgeschieden bei Drinks, Kuchen und gutem Essen mitten im Zitronenhain → S. 50

INSIDER TIPP Gut und günstig
Im schlichten Hotel *Róda Inn* an der Nordküste ist das Preis-Leistungs-Verhältnis einfach gut und die Atmosphäre herzlich → S. 52

INSIDER TIPP Langusten ohne Schnickschnack
Die etwas abseits gelegene Taverne *Gregóris* oberhalb des meist menschenleeren Astrakéri Beach serviert Hummer und Langusten zum günstigen Preis, zubereitet wie Fischer sie lieben → S. 53

INSIDER TIPP Buddha auf Korfu
Am Dorfrand von Nímfes steht eine der eigenwilligsten Kirchen der Insel: *Naós Evstrámenou*. Sie gleicht einer buddhistischen Stupa oder Dagoba → S. 53

INSIDER TIPP Fahrt entlang der Küste

Am Ende des Feldwegs zum Kap Drástis liegt ein kleines Motorboot, dessen Skipper mit denen, die herfinden, kurze Fahrten entlang der Felsküste macht (Foto li.) → S. 55

INSIDER TIPP Chillen in der City

Der schönste Platz zum Entspannen innerhalb der Hauptstadt sind die Terrassen des Gartenlokals *Tabernita Mexicana* direkt unterhalb der Neuen Festung. Da sitzen Sie im Grünen und hören keinerlei Straßengeräusche → S. 44

INSIDER TIPP Herrlicher Garten

In der Pension *Skála* in Paramónas mit schön angelegtem Garten wohnen Sie wie im Paradies weitab vom Massentourismus → S. 75

INSIDER TIPP Parkspaziergang mit Tempeln

Ein Spaziergang unter 150 Jahre alten Laubbäumen mit Blick aufs Ionische Meer und zwei antike Tempelreste am Wegesrand → S. 94

INSIDER TIPP Gute Kondition gefordert

Service total für Biker und gute geführte Touren bietet *The Corfu Mountainbike Shop* in Dassiá. Vom schlichten Verleih bis zu geführten Tagestouren und einem kompletten Fly-&-Bike-Programm reicht das Spektrum der MTB-Profis → S. 102

INSIDER TIPP Ausritt für alle

Sally-Ann Lewis war einst Cowgirl in Wyoming. Seit 1992 führt sie Reiter jeden Niveaus auf zweistündigen Trails durch Korfus Olivenhaine und Weingärten. Die Ställe von *Trailriders* liegen beim Dorf Áno Korakianá → S. 102

INSIDER TIPP Quer über die Insel wandern

220 km lang ist der *Corfu Trail*, auf dem Sie die Insel durchwandern können. Ein wenig Pioniergeist ist freilich noch nötig, denn die Markierung ist keineswegs perfekt, aber das nächste Dorf liegt auf Korfu ja immer in Sichtweite → S. 102

BEST OF ...

TOLLE ORTE ZUM NULLTARIF
Neues entdecken und den Geldbeutel schonen

SPAREN

● *Kultur gratis*
Rockfestivals, Jazzkonzerte, Opernaufführungen, Auftritte traditioneller korfiotischer Orchester – alles umsonst oder zum symbolischen Eintritt von 1 Cent! An sage und schreibe rund 30 Abenden zwischen Anfang Juni und Mitte August sorgt das alljährliche *International Festival of Corfu* dafür, dass Langeweile keine Chance hat → S. 109

● *Panorama mit Flugzeugen*
Grandios ist das Panorama am kostenlosen Aussichtspunkt *Kanóni* mit der Mäuseinsel und der Klosterinsel Vlachérna im Vordergrund (Foto). Bewegung kommt ins Bild, wenn Urlauberjets auf Augenhöhe über den Inseln zur Landung einschweben. Bringen Sie sich ein Picknick mit, Getränke sind hier teuer! → S. 38, 106

● *Graffiti überall*
Früher Geheimtipp unter Hippies, heute ein ganz besonderes Freilichtmuseum für Fans moderner Street Art: Mehr als anderthalb Kilometer Betonmauern wurden im Bergdorf *Pélekas* von internationalen Graffiti-Künstlern bemalt – weitere Bilder sind willkommen → S. 89

● *Von Schwimmbecken zu Schwimmbecken*
Wie wär's mit etwas Pool-Tourismus? In vielen kleineren Hotels können Sie, selbst wenn Sie dort nicht wohnen, *gratis den Pool benutzen* – solange Sie einen Drink bestellen. Es lebe die erfrischende Abwechslung! → S. 73

● *Start frei zum Nachtflug*
Das Nachtleben in Korfu-Stadt ist längst nicht so teuer, wie man annehmen würde. Die vielen Clubs im angesagten Nightlife-Viertel am Fährhafen kosten nur in Ausnahmefällen Eintritt. Party on! → S. 46

● *Essen mit Aussicht – auf Entspannung*
Wer in der wunderschön gelegenen Taverne *Panórama* in Petríti Mittag speist, bekommt zum hervorragenden Essen eine kostenlose Dreingabe: die Benutzung der Liegestühle am nahen Strand → S. 79

●●●● Diese Punkte zeichnen in den folgenden Kapiteln die Best-of-Hinweise aus

TYPISCH KORFU
Das erleben Sie nur hier

● *Vorsicht: Kopf einziehen!*
Die Korfioten feiern *Ostern* besonders eigenwillig: Unzählige Ton- und Wasserkrüge werden am Ostersamstag in der Altstadt von Korfu aus Fenstern und von Balkonen auf die Gassen geworfen. Tausende schauen dem feuchten Spektakel nach der prachtvollen Osterprozession fröhlich zu → S. 108

● *Zwergorangen ganz groß*
Die bitteren *Früchte des Koum-Kouát-Baums* sind ein neues Markenzeichen der Insel. Probieren Sie selbst: Liköre, Marmeladen, Pralinés und vieles mehr gibt es bei Familie Vassilákis in der Stadt und in deren Probier- und Verkaufsgeschäft am Achíllion (Foto) → S. 28, 45, 92

● *Ein Leben fürs Olivenholz*
Oliven liefern Früchte und Öl, aber auch ein einzigartiges Holz, das Schnitzern viel Können abverlangt. Einer der besten ist Thomás, der sich diesem Kunsthandwerk in seinem Atelier *By Tom* in der Altstadt von Korfu seit Jahrzehnten widmet → S. 44

● *Besinnliche Minuten*
Bei einem Besuch von Korfus bedeutendster Kirche *Ágios Spirídonas* können Sie den Einheimischen tief in die Seele schauen. Ständig kommen Gläubige, küssen die Ikonen, verehren die Reliquie des Inselheiligen und sprechen Fürbitten, denn für viele Korfioten ist hier – zwischen Malereien, Ikonen und dem Silbersarkophag des hl. Spiridon – nichts weniger als der Himmel auf Erden → S. 39

● *Fisch im Garten Eden*
Korfioten lieben üppige Gärten – und die Fischsuppe *bourdétto* auf Basis des Skorpionfischs. In der Taverne *Alonáki* bei Chalikúnas bekommen Sie beides: eine besonders köstliche Version des Traditionsessens, serviert in einem wahren Gartenparadies → S. 70

● *Lebensfreude im Gleichtakt*
Tanzen wie Alexis Zorbas: Dank des gleichnamigen Filmwelterfolgs wurde der Sirtáki zum Synonym des griechischen Tanzes. Auf der Terrasse der Bar *Golden Beach* können Sie nicht nur sehen, wie sich die Profis bewegen, Sie können selbst den Zorbas geben! → S. 16

BEST OF ...

SCHÖN, AUCH WENN ES REGNET
Aktivitäten, die Laune machen

REGEN

● *Schnecken und Muscheln*
Nicht nur Hobbybiologen, sondern auch Taucher und Ästheten faszinieren die grandiosen Erscheinungsformen von Hausbesitzern auf dem Meeresgrund, die das *Shell Museum* in Benítses zeigt → S. 78

● *Shopping unter Arkaden*
Die *Arkaden an den Haupteinkaufsgassen* der Altstadt, insbesondere die an der Odós N. Theotóki, schützen Sie beim Shoppen vor sengender Sonne und kräftigem Regen → S. 44

● *Schmuck mit ganz persönlicher Note*
So verwandelt sich die Muschel, die Sie beim Strandspaziergang gefunden haben, in ein Schmuckstück: Bei *Ilios Living Art* in Ágios Geórgios Pagón werden Korfus Naturschätze in Gold, Silber oder Bronze gegossen → S. 55

● *Einfach abtauchen*
Wenn Sie dem Regen ein echtes Schnippchen schlagen wollen, dann tauchen Sie einfach unter: An Bord der *Calypso Star* eröffnet sich Ihnen vor den großen Fenstern im Rumpf die Unterwasserwelt → S. 42, 106

● *Seifen aus Olivenöl*
Wie in eine andere Zeit versetzt fühlt man sich in der mehr als 150 Jahre alten *Seifenmanufaktur Patoúnis* (Foto). Äußerst freundlich werden Sie in Produktionshalle und Lager eingelassen, dürfen nach Herzenslust fotografieren und günstig einkaufen. Wer vorher anruft, kann sich auch führen lassen → S. 44

● *Zurücklehnen und durch den Regentag gleiten*
In der *Nuevo Lounge* kann Ihnen schlechtes Wetter gar nichts. Selbst zum Frühstück ist sie der richtige Treffpunkt, mittags kann man den Korfioten bei ihren Business-Treffen zuschauen, und abends hebt die Lounge direkt in den Party-Himmel ab → S. 43

ENTSPANNT ZURÜCKLEHNEN
Durchatmen, genießen und verwöhnen lassen

● *Wellness und Nachhaltigkeit*
Der Wellnessbereich im *Saint George's Bay Country Club* ist einer der jüngsten der Insel. Die Anlage ähnelt einem korfiotischen Dorf mit ganz individueller Landhausarchitektur → S. 52

● *Mit dem Boot nach Páxos*
Anker lichten, die Nase in den Wind stecken und alle Erdenschwere auf dem Festland zurücklassen: Von Kérkyra, Messongí-Moraítika und Kávos aus stechen Schiffe in See und fahren zur kleinen Schwesterinsel Páxos (Foto) → S. 98

● *Zen als Lebensform*
Wie in einem buddhistischen Zenkloster fühlen Sie sich im *Meditationshaus Korfu*. Auch als Tagesgast sind Sie willkommen, um im Zen-Do und dessen Garten zu meditieren → S. 56

● *Sonntagnachmittag beim Kricket*
Für Nichteingeweihte ist Kricket, das britische Traditionsspiel, ein Buch mit sieben Siegeln. Umso entspannter schaut man sonntagnachmittags vom *Café auf der Esplanade* in Kérkyra zu, wie auf englischem Rasen die Schläger geschwungen werden – meditative Ruhe, very British! → S. 16

● *Wo die Orchideen blühen*
Romantiker lieben ihn, den *Britischen Friedhof* im südwestlichen Stadtgebiet von Kérkyra. In der märchenhaften Oase mit den kolonialen Grabdenkmälern blühen im Frühjahr und Herbst zahlreiche wilde Orchideen → S. 37

● *Im antiken Tempel träumen*
Maler der Romantik hätten am kleinen dorischen Tempel im Schlosspark *Mon Repos* mit Sicherheit ihre Staffelei aufgestellt. Urlauber mit Sinn für Romantik können sich zwischen den antiken Gemäuern ganz gemütlich ins Gras betten – kein Wärter pfeift Sie hier zurück auf die Beine → S. 41

AUFTAKT

ENTDECKEN SIE KORFU!

Wo die Adria ins Ionische Meer übergeht, setzt die Maschine zum Sinkflug an. Erste griechische Inselzwerge grüßen von unten herauf. Dann steigt Korfu aus der See auf. Ganz oben im Nordwesten säumen schmale Sandstrände imposante Steilküsten, etwas weiter südlich umgreifen breite Sandstrände weite Buchten. Die Insel (112 000 Ew.) ist die nördlichste und mit 611 km² die zweitgrößte der Ionischen Inseln. Das Flugzeug sinkt tiefer, gleitet über dichte Teppiche aus Olivenwäldern hinweg, aus denen immer wieder Zypressen wie spitze Nadeln aufragen. Darin eingebettet träumen jahrhundertealte Dörfer auf Hügelkuppen, an Berghängen, in kleinen Tälern vor sich hin. Der Flug geht weiter, führt über die Inselhauptstadt hinweg. Deutlich sind der Hafen und die beiden venezianischen Burgen zu erkennen, die die venezianische Altstadt begrenzen. Auf der anderen Seite der Meerenge steigen die hohen Berge des griechischen und albanischen Festlands auf. Über dem Funkfeuer von Lefkími im flachen Süden wendet der Flieger, setzt zum Landeanflug an. Bald sinkt er unter die Kammlinie der grünen Küstenhügel, scheint die Dörfer am Ufer zu streifen.

Bild: Kalamáki Beach

Die Maschine scheint wassern zu wollen, trifft aber genau den Aufsetzpunkt der Landebahn, die in eine Lagune hineingebaut wurde.

Das Erlebnis Korfu beginnt. Die Stadt, von den Griechen wie die ganze Insel Kérkyra genannt, ist vom Flughafen nur einen Spaziergang weit entfernt. Der Weg führt über die Uferpromenade direkt auf die Alte Festung zu, eine von fünf venezianischen Burgen der Insel. Vor dem Eingang breitet sich die weite Grünfläche der Esplanade aus. An deren Schmalseiten durften die Briten ihre Spleens ausleben: Ans eine Ende setzten sie einen Wasserspeicher in Form eines antiken Tempels, auf die andere einen stattlichen Palast für ihre Inselverwalter. Einer von ihnen steht, in eine altrömische Toga gewandet, als Denkmal davor.

Die Franzosen, die vor den Briten kurz über die Insel herrschten, schenkten ihr Sinnvolleres: eine Reihe von Straßencafés unter schattigen Arkaden. Da schlürfen die älteren Korfioten gern ihren griechischen Mokka, während die Jugend eisgekühlte Kaffeevarianten bestellt. Besonders viel ist dort am frühen Abend los, wenn die Korfioten ihre traditionelle Volta zelebrieren, an den Cafés entlang auf und ab spazieren, um zu sehen und gesehen zu werden. Tagsüber sind die breiten, mit Marmor gepflasterten Gassen zwischen Esplanade und Altem Hafen dichter bevölkert. Dann laden zahlreiche kleine Geschäfte unter Arkaden zum Shopping ein. Viele weitere Läden sind im ehemaligen Judenviertel der Altstadt, Evraikí, zu finden, während das größte Altstadtviertel Cambiéllo allein dem Wohnen vorbehalten ist.

> **Straßencafés unter schattigen Arkaden**

734 v. Chr.
Mit der Gründung einer Kolonie durch d e griechische Stadt Korinth wird Korfu in die Welt des klassischen Griechenlands einbezogen

229 v. Chr.
Als erste griechische Stadt unterwirft sich Korfu dem aufstrebenden Rom

395–1204
Oströmisch-byzantinische Zeit, Korfu wird von Konstantinopel aus regiert

1386
Die Venezianer übernehmen Korfu, das zu einer ihrer bedeutenden Besitzungen im Mittelmeer wird, und können türkischen Eroberungsversuchen im 16. Jh. zweimal widerstehen

AUFTAKT

Von Sisi als Feriendomizil errichtet, von Kaiser Wilhelm II. geliebt: Villa Achíllion

Für eine Städtereise ist Kérkyra ganzjährig ein empfehlenswertes Ziel. Auf der übrigen Insel sind allerdings kaum Kulturgüter anzuschauen. Dass es davon auf Korfu so wenige gibt, hat zwei Gründe: Zum einen konnten bisher nur wenige Ausgrabungen stattfinden, weil die antiken Siedlungen heute mit Wohnhäusern überbaut sind, zum anderen war die Insel im antiken Griechenland ihrer Randlage wegen nie von großer Bedeutung.

Erst als die Venezianer 1386 Herren über die Insel wurden, gewann Korfu wegen der Nähe zur Adria an Gewicht. Die neuen Herren nutzten sie vor allem als Quelle für Olivenöl, das sie damals für Beleuchtungszwecke benötigten, und förderten darum den Olivenanbau nach Kräften. Den Venezianern haben es die Korfioten zu verdanken, dass sie nie unter türkische Herrschaft gerieten. Auf Korfu fehlt jeglicher türkisch-orientalische Einfluss. Auch das macht die Insel so anders: Nirgends stehen wie anderswo in Griechenland Moscheen. Der Volksmusik fehlt die orientalische Fremdheit

1453 Das Byzantinische Reich zerbricht; nachfolgend beherrschen die Türken ganz Griechenland – mit Ausnahme der Ionischen Inseln

1797–1864 Erst besetzt Napoleon die Ionischen Inseln, dann werden sie unter russischem und türkischem Protektorat unabhängig, 1807 wieder französisch, 1809 britisch und ab 1815 unabhängige Republik unter dem Protektorat Großbritanniens

1864 Die Inseln werden Teil des freien Griechenlands

1941–1944 Besetzung durch Italien und Deutschland

der ägäischen Klänge, und auch in der Kunst sind die Ionischen Inseln, deren Hauptinsel Korfu ist, eigene Wege gegangen.

Im Sommer interessieren freilich die Strände die Urlauber am meisten. Sie säumen die Insel ringsum, sind so abwechslungsreich, dass jeder seinen Traumstrand findet. An der dem Festland zugewandten Ostküste, wo die meisten großen Badehotels stehen, werden sie fast ausnahmslos von Kies oder glatten Kieselsteinen gebildet, sind zwar manchmal mehrere Hundert Meter lang, aber immer sehr schmal. Viele Hotels direkt am Ufer bieten zum Ausgleich saftig grüne Liegewiesen rund um den Pool, Tavernen haben Liegestühle in ihre blumenreichen Gärten gestellt und Hängematten zwischen Bäumen gespannt. In geschützten Buchten ragen auch hölzerne Seebrücken in die Meerenge vor. Auf ihnen liegen Sonnenanbeter, steigen über Leitern ins Wasser. Einige dienen auch als Wassersportstationen. Die Ostküste ist ideal für Wasserskifahrer, fürs Parasailing und fürs Tretbootfahren – Surfer hingegen werden hier kaum glücklich werden. Dafür aber Familien mit Kindern, denn die Ufer fallen flach ab. In jedem Supermarkt erhältliche Badeschuhe erhöhen das Badevergnügen!

Größte Strandvielfalt bietet die Westküste

Wer einen langen, breiten Strand liebt, ist an der Nordküste besser aufgehoben. Da machen auch lange Strandspaziergänge Spaß, zumal am Ufer immer wieder einmal eine Taverne oder eine Lounge Bar zum Stopover einladen. Ihr Besuch lohnt besonders zur Zeit des Sonnenuntergangs, wenn der rote Feuerball irgendwo zwischen der letzten griechischen Insel, Othoní, und dem albanischen Festland im Meer versinkt.

Die größte Strandvielfalt hat die der offenen See zugewandte Westküste Korfus zu bieten. Den Auftakt bildet das Kap Drástis im äußersten Nordwesten, wo Mutige von weißen Felsschollen aus ins Wasser steigen und bei ganz ruhiger See ein Stück weit unterhalb der weißen Sandsteinklippen entlangschwimmen können. Bei Peruládes führen Stufen vom Steilufer hinab zum langen, schmalen Sandstrand, der sich unter den Klippen entlangzieht. Kilometerlang sind die goldgelben Strandsicheln um die Buchten von Ágios Stéfanos und Ágios Geórgios Pagón. An der stark zergliederten Bucht von Paleokastrítsa hingegen verstecken sich die meisten der über zwanzig kleinen Strände zwischen Steilufern, sind nur mit dem Boot zu erreichen.

1967–1974 Militärdiktatur; danach Aufbau einer Demokratie

2002 Der Euro ersetzt die Drachme als Landeswährung

2004 In Athen finden die Olympischen Sommerspiele statt

2010–2014 Griechenland kann nur durch Finanzhilfen der Europäischen Union und des Internationalen Währungsfonds vor dem Staatsbankrott bewahrt werden. Drastische Steuererhöhungen, Renten- und Gehaltskürzungen und eine Heraufsetzung des Renteneintrittsalters sollen die Schuldenlasten reduzieren

AUFTAKT

Auf den Plätzen Kérkyras: entspannte Treffpunkte vor historischer Kulisse

In der Mitte der Westküste haben sich an einigen wenigen Stränden auch große Hotels angesiedelt: in Glifáda, Pélekas und Ágios Górdis. Danach wird es wieder einsamer. Der Strand auf der nördlichen Nehrung zwischen Meer und Chalikúnas-See ist nahezu menschenleer, in den Dünen von Ágios Geórgios Argirádon im Südwesten des Sees verlaufen sich die wenigen Badegäste in einer weiten Mini-Sahara. Im äußersten Süden setzt Kávos mit seinen schmalen Stränden den lautstarken Kontrapunkt: Da wird schon tagsüber Party gefeiert, ist Körpernähe am Strand gefragt.

So verlockend die Stränden auch sind: Das Inselinnere ist mindestens ebenso schön und abwechslungsreich. Viele schmale Straßen gleichen Achterbahnen, führen in stetem Auf und Ab zu immer neuen Aussichtspunkten. Außerhalb der Badeorte stoßen Sie auf zahlreiche kleine Dörfer, die nur wenige Fremde besuchen, wo die traditionelle griechische Gastfreundschaft noch immer gepflegt wird. In einem Kloster bei Lefkími kann es passieren, dass Sie von den letzten Nonnen noch zum Mokka eingeladen werden, den die Schwestern wie viele Korfioten gern mit einem winzigen Schluck Ouzo verfeinern. Bei Kirchenbesichtigungen erhalten Sie vom Küster oft unaufgefordert ein Stück gesegneten Brots, in einer Fischtaverne in Búkari dürfen Sie sich Ihren Nachtisch eigenhändig von den Obstbäumen im Tavernengarten pflücken. Solch kleine Gesten zeugen von menschlicher Wärme, die die Korfioten auch bei Besuchern zu schätzen wissen. So wird Ihr Urlaub viele freudige Erlebnisse für Sie bereithalten.

> **Wo griechische Gastfreundschaft noch immer gepflegt wird**

IM TREND

1 Hellas Sirtáki

Aufschwung für den Traditionstanz Lange Zeit war Sirtáki nur etwas für die Locals und wurde auf traditionellen Festen getanzt. Jetzt heißt es auch zu anderen Anlässen in einer Reihe aufstellen, Arme ausbreiten, und los geht es. Im *Luna d'argento (Ano Korakiana | www.lunacorfu.com)* finden mehrmals wöchentlich Abende mit Livemusik und professionellen Tänzern statt, die gern zeigen, wie es geht. Zu den Lokalmatadoren zählt die Gruppe *Alios (www.alios-corfu.com)*, die auch Unterricht gibt. Ganz klassisch wird der Sirtáki auf der Terrasse der ● Bar *Golden Beach (am Strand von Moraítika | www.goldenbeachbar.com)* aufgeführt. Nach den Profis sind die Zuschauer dran. Der Film „Alexis Zorbas" machte den Tanz weltberühmt – und Jane Fonda und Anthony Quinn, die ihn im *Trípa (am Dorfplatz von Kinopiástes | www.tripas.gr)* tanzten, zu wahren Profis.

Britisches Erbe

Korfu schwingt den Schläger Im 19. Jh. haben die Briten das Kricketspiel nach Korfu gebracht. In den letzten Jahren erwachte es zu neuem Leben. Auch die jungen Korfioten greifen jetzt immer häufiger zu Ball und Schläger.

2
● Sonntagnachmittags werden in Kérkyra auf dem kurz getrimmten englischen Grasstreifen die Schläger geschwungen – den Profis und Amateuren schaut man dann bequem vom Café auf der *Esplanade* zu. Nachhilfe in Regelkunde geben die passionierten Spieler nur zu gern beim entspannten Plausch im Schatten. Nur in den allzu heißen Sommermonaten fallen die Kricketturniere aus. Selbst ein Internationales Schülerturnier, an dem Mannschaften aus Korfu, Bulgarien, England, Indien und Südafrika teilnehmen, findet jährlich im April auf dem Eiland statt. Organisiert wird es von der *Hellenic Cricket Foundation (www.cricket.gr)*, die ihren Sitz ebenfalls auf Korfu hat.

Auf Korfu gibt es viel Neues zu entdecken. Das Spannendste auf dieser Seite

Frisch aus dem Garten

3

Selbstversorger Dass Hausgemachtes am besten schmeckt, ist auch auf Korfu angekommen. Am liebsten werden frische Produkte aus dem eigenen Garten wie in Káto Korakiána im Restaurant *Etrusco (www.etrusco.gr) (Foto)* verarbeitet. 2010 hat der renommierte Koch Ettore Botrini einen Garten angelegt, wo er Zutaten für seinen Etrusco-Salat mit frischen Kräutern und Blumen oder für Gerichte mit vielversprechenden Namen wie Lamm mit süßem Knoblauch und Koum Kouáts anpflanzt. Unbedingt probieren: Wurst und Salami aus eigener Herstellung. Auch Kostas und Agathi Vlassi greifen auf Produkte ihres Hofs zurück. In ihrem Hotel-Restaurant *Bioporos (Vrakaniotika | www.bioporos.gr)* werden zum Frühstück frische Eier und im Holzofen gebackenes Brot serviert. Zum Lunch und Dinner gibt es authentische Gerichte nach altem Rezept. Alle Produkte ihrer 4 ha großen Farm sind bio.

Ski ohne Schnee

4

Übers Wasser gehen Wasserski war gestern. Sportliche brauchen kein Boot mehr, um sich mit Skiern auf dem Wasser zu bewegen. Die Aqua Striders von Niko Gatsios machen es möglich. Mit den luftgefüllten Skiern gleiten Abenteurer mit 5 bis 10 km/h übers Wasser – und das ganz ohne Hilfe eines Motors. Skistockähnliche Stangen, an deren Enden Schwimmbojen befestigt sind, oder einfache Paddel helfen, die Balance zu halten. Die sportliche Innovation, die schon auf der *International Exhibition of Inventions* Aufsehen erregte, können Interessierte beim *Corfu Ski Club (www.corfuskiclub.com)* am *Hotel Daphnila Bay Thalasso (Dassiá)* und am *Dassiá Beach* testen.

STICHWORTE

AGÍA, ÁGII, ÁGIOS

Die drei griechischen Wörter *Agía*, *Ágii* und *Ágios* begegnen Ihnen auf der Insel immer wieder. Sie sind Teil von Orts- und Kirchennamen, kommen in den Namen von Fischerbooten und Fähren vor. *Agía* heißt Heilige, *Ágios* Heiliger, *Ágii* ist die Mehrzahl von beiden. Steht *Moní* (Kloster) davor, benutzt man oft die Genitivformen *Agias*, *Agíou* und *Ágion*. Der Gottesmutter Maria gebührt ein besonderer Ehrenname. Sie ist die *Panagía*, die Allheilige.

AUS- UND UMSTEIGER

So mancher Urlauber träumt nach seinen Ferien auf Korfu davon, sich eines Tages ganz hier niederzulassen. So leben denn zurzeit etwa 800 Deutsche und noch sehr viel mehr Briten ständig auf der Insel. Solange Ausländer hier nur Geld ausgeben und nicht versuchen, ein Geschäft oder ein Lokal aufzumachen, sind sie den Korfioten herzlich willkommen. Machen sie den Einheimischen aber mit einem Unternehmen unmittelbar Konkurrenz, müssen sie mit vielen Schwierigkeiten von häufigen Betriebskontrollen bis hin zu Sachbeschädigungen rechnen. Nur wer innovativ ist und das Angebot der Region um bisher nicht Dagewesenes ergänzt, hat hier eine Chance, akzeptiert zu werden.

BAUWUT

Ein befremdliches Charakteristikum auf Korfu sind die vielen unvollendeten Bauten. Zwei Gründe sind dafür maß-

Bild: Felsenküste von Paleokastrítsa

Von Ikonen, Kiosken und Olivenwäldern – Informatives für Ihren Urlaub auf der Insel Korfu

geblich: Die Griechen misstrauen seit Langem ihren Banken und der Stabilität der Währung – nicht erst seit der Währungskrise. Also legen sie ihr Erspartes lieber in Immobilien an. Da das aber oft nicht ausreicht, um den geplanten Bau in einem Zug zu vollenden, werden die Arbeiten ausgeführt, bis das Geld ausgeht. Zudem fühlen sich viele Griechen noch immer verpflichtet, ihren Kindern zumindest eine Wohnung mit in die Ehe zu geben. Also plant man das schon mit ein, wenn die Kinder noch klein oder gar nicht geboren sind – zum Ansparen der Mittel für den Ausbau des Familiensitzes bleibt dann ja immer noch genügend Zeit.

BÜRGERKRIEG

Griechenland hat im vergangenen Jahrhundert stärker unter Kriegen gelitten als viele andere europäische Länder: 1904–08 Krieg gegen Bulgarien, 1912–22 Erster und Zweiter Balkankrieg, Erster Weltkrieg und Feldzug in Kleinasien gegen die Türkei und schließ-

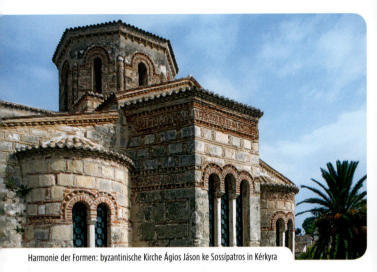

Harmonie der Formen: byzantinische Kirche Ágios Jáson ke Sossípatros in Kérkyra

lich 1940–49 Zweiter Weltkrieg sowie Bürgerkrieg. In Letzterem standen sich Kommunisten und von den Briten unterstützte Bürgerliche gegenüber, die zuvor gemeinsam als Partisanen gegen die Deutschen gekämpft hatten. In jedem Ort auf Korfu stehen Gefallenendenkmäler, die die Namen der Toten aus diesen vielen Kriegen auflisten, Soldatenfriedhöfe zeugen sogar von serbischen und französischen Opfern.

BYZANZ

Statt vom Mittelalter sprechen Historiker in Bezug auf Griechenland meist von der byzantinischen Zeit. Sie fällt recht genau mit dem Mittelalter zusammen, beginnt mit Kaiser Justinian im 6. Jh. und endet mit der Eroberung Konstantinopels durch die Türken im Jahr 1453. Konstantinopel – das heutige Istanbul – war die Hauptstadt jenes Reichs, das einst bis zur Straße von Gibraltar und weit nach Vorderasien und Nordafrika hineinreichte. Auch Korfu gehörte ihm bis zu Beginn des 13. Jhs. an.

FAUNA

Hunde und Katzen sind die Tiere, denen Sie auf Korfu am häufigsten begegnen. Wild lebende Säugetiere hingegen sind selten geworden. Eher als Opfer des Straßenverkehrs als lebend sehen Sie gelegentlich Füchse, Marder, Igel und Wiesel. Reichhaltiger ist die Vogelwelt mit Pirol, Wiedehopf, Eichelhäher und Kauz, Schwalben und Mauerseglern. In einsamen Bergregionen sind manchmal Bussarde und Falken zu sehen, an den flachen Küsten Reiher. Unter den Schlangen, denen Sie beim Wandern begegnen, sind nur die Sandottern giftig. Ungiftige Arten sind die Zorn-, Eidechsen- und Schlanknatter. Landschildkröten sind häufig, Skorpione selten. Im Frühsommer leuchten Glühwürmchen. Das Meer ist durch Überfischung fischarm geworden. Wer Glück hat, sieht Delphine.

FLAGGEN

Neben der weiß-blauen griechischen Nationalflagge wird vor Kirchen häufig eine zweite Flagge gehisst: die offizielle

STICHWORTE

Fahne der griechischen Orthodoxie. Auf gelbem Grund zeigt sie den schwarzen, byzantinischen Doppeladler.

IKONEN

Ikonen sind die Tafelbilder mit Heiligen und biblischen Ereignissen der orthodoxen Kirche. Sie finden sie in allen Gotteshäusern, aber auch in Autos, Bussen, Geschäften, Restaurants und Wohnungen. Neben klassischen Ikonen, wie sie überall im ehemals byzantinischen Raum zu finden sind, hängen in Kirchen und Museen Korfus auch als Ikonen bezeichnete Gemälde, die unter dem Einfluss des italienischen Kunstgeschmacks entstanden sind und westlicher Sakralmalerei ähneln. Sie werden von den Gläubigen wie jede andere Ikone behandelt, obwohl ihnen alle Kriterien echter Ikonen (z. B. die Beschriftung oder der Verzicht auf die Zentralperspektive) fehlen.

Der klassische Ikonenmaler muss sich auch heute noch streng an uralte Regeln halten. Er hat nur wenig gestalterische Freiheiten. Phantasie und künstlerische Kreativität sind nicht gefragt, nur sein handwerkliches Geschick. Das führt dazu, dass sich viele Ikonen gleichen, ganz egal, aus welchem Jahrhundert sie stammen.

Alle Ikonen gelten allgemein als „Tore zum Himmel". Sie bringen den Heiligen ins Haus, machen ihn präsent und werden so behandelt, als wären sie der oder die Heilige selbst. Die dem Betrachter fast immer frontal zugewandten Augen schaffen den Zugang, über den der Geist des Gläubigen mit dem des Dargestellten in Verbindung tritt. Deswegen genießen Ikonen eine so große Verehrung. Sie werden geküsst, mit Edelmetall, kostbaren Vorhängen und Uhren geschmückt oder bei Prozessionen um die Kirche, durch den Ort, durch Felder und Olivenhaine getragen.

KIOSKE

Kioske, auf Griechisch in der Einzahl *períptero* genannt, stehen in Kérkyra auf fast jedem Platz und in den Dörfern an vielen größeren Kreuzungen. Meist sind sie jeden Tag von frühmorgens bis spätnachts geöffnet und bieten alles feil, was man dringend brauchen könnte: Zeitungen, Zigaretten, Süßigkeiten, Batterien und Telefonkarten, Zahnbürsten und Kämme, Kondome und vieles mehr.

KOMBOLÓI

Viele Griechen – und damit auch Korfioten – tragen stets ein *kombolói* bei sich, ein dem Rosenkranz ähnliches Kettchen. Es hat jedoch keinerlei religiöse Bedeutung, sondern dient nur dem Zeitvertreib als Fingerspiel oder Glücksbringer. Die Griechen haben es vermutlich als eine Abwandlung der islamischen Gebetskette übernommen.

LOSVERKÄUFER

Losverkäufer gehören zum korfiotischen Straßenbild wie orthodoxe Priester oder Kioske. Zwei Arten von Losen stehen zur Auswahl: Rubbellose mit sofortigem Gewinnentscheid und Lose der Staatslotterie, deren Gewinnnummern montagabends gezogen werden.

ÖKOBAUERN & OLIVENWÄLDER

Es gibt auf Korfu durchaus eine Reihe von Bauern, die gern biologisch produzieren würden, zumal dafür bessere Absatzchancen und höhere Preise erwartet werden können – vor allem bei Wein und Olivenöl. Doch die Hürden sind für viele zu hoch, da sie selten die Mindestabstände zu den Feldern und Hainen der Chemiebauern einhalten können und da es bis heute auf der ganzen Insel keine einzige Ölpresse gibt, die nur ökologisch angebaute Oliven verarbeitet. Zumindest aber wurde das flächendeckende Besprühen der Olivenwälder aus der Luft mit Schädlingsbekämpfungsmitteln eingestellt, sodass jeder Bauer für sich entscheiden kann, was er auf seinem Grund und Boden an Düngestoffen und Chemikalien zulassen will.

Wie intensiv der Olivenanbau auf Korfu betrieben wird, sehen Sie insbesondere im Landesinnern. Dort winden sich die Straßen durch uralte Olivenwälder, in denen sich das Licht in den dichten Kronen der knorrigen Bäume verfängt. Schwarze Netze sind oft auf dem Boden ausgelegt oder in Astgabeln aufgerollt, steigern noch den Eindruck eines dunklen, verwunschenen Walds. Zwischen November und März sollen sie die von den Bäumen fallenden Oliven auffangen, die die Bauern und ihre zumeist albanischen Feldarbeiter dann mehrmals wöchentlich auflesen und zur Olivenpresse transportieren.

PARTEIEN

Zwei große Parteien, die konservative *Néa Dimokratía.* und die sozialdemokratische *Pasók,* haben bis 2011 das politische Leben Griechenlands dominiert und die heutige Krise zu verantworten. Beide bilden trotzdem zusammen mit der kleinen gemäßigten Linkspartei *DIMAR* die im Juni 2012 gewählte Regierung. Stärkste Oppositionskraft ist die radikale Linkspartei *SYRIZA*. Im 300-köpfigen Parlament sind außerdem die kommunistische *KKE* und die faschistische *Chryssí Avgí* vertreten.

RELIGION

Fast alle Korfioten bekennen sich zum griechisch-orthodoxen Christentum. Andere christliche Konfessionen werden als Häresien betrachtet, denen anzuhängen den Weg in den Himmel versperrt. Vielen Urlaubern fallen zunächst die Kirchen und die vielen kleinen Kapellen auf. Der Altar steht immer im Osten hinter einer Ikonostase, also einer Bilderwand. Sie trennt den nur von Priestern und Diakonen zu betretenden Altarraum vom Kirchenraum. An der Ikonostase und an den Wänden hängen Ikonen, vor denen Gläubige Kerzen entzünden. Während der orthodoxen Gottesdienste, die oft zwei und

KORFU WIRD MULTIKULTURELL

Die Globalisierung macht auch vor der kleinen Insel nicht halt. Ausländer haben Korfus Geschichte schon immer kräftig mitgestaltet. Meist waren sie die Herren, die Korfioten ihre dienstbaren Geister. Jetzt wandelt sich die korfiotische Welt. Ohne Tagelöhner aus Albanien wäre keine Olivenernte mehr möglich, ohne Hilfsfischer aus dem Nildelta schwämmen noch mehr Fische im Meer. Ohne kräftige Bulgaren und Rumänen blieben viele Häuser ungebaut, viele Hotelzimmer ungeputzt. Früher zogen nur Roma in ihren mit Waren aller Art vollgepackten Gefährten durch die Dörfer. Heute ergänzen Südostasiaten in koreanischen Autos das Angebot durch elektronischen Schnickschnack, haben sich Schwarzafrikaner auf schwarz gebrannte CDs und DVDs spezialisiert. Sogar die Abendunterhaltung wäre ohne Ausländer ärmer: Fürs Animationsprogramm werden von vielen Hotels und Beachbars bevorzugt polyglotte Tschechen und Ungarn engagiert. Multikultur zu Niedriglöhnen.

STICHWORTE

mehr Stunden dauern, herrscht ein ständiges Kommen und Gehen.

Überall auf Korfu begegnen Ihnen orthodoxe Priester (griechisch *pappádes,* Einzahl *pappás).* Sie tragen lange, dunkle Gewänder und eine schwarze Kopfbedeckung, unter der meist ein Zopf hervorschaut. So die Natur mitspielt, sind sie immer langhaarig und vollbärtig. Priester dürfen vor der Weihe heiraten und haben oft große Familien. Ihr staatliches Einkommen bessern fast alle durch Gebühren für Hochzeiten und Taufen auf. Kirchensteuer kennt man hier nicht.

Zum Schisma, der offiziellen Kirchenspaltung, kam es bereits 1054 aufgrund einer der vielen dogmatischen Unterschiede: Nach den Orthodoxen geht der Heilige Geist nur von Gottvater aus, während der Papst verkündete, er gehe von Vater und Sohn zugleich aus (Filioque-Streit).

SOMMERFERIEN

Die griechischen Sommerferien dauern von Mitte Juni bis Mitte September. Haupturlaubsmonat aber ist der August, und zumindest vom 1. bis 20. August hält es kaum einen Griechen zu Hause. Fast alle strömen ans Meer, viele auf die Inseln. Auch zahlreiche Italiener machen dann hier Urlaub. In dieser Zeit ist es schwierig, ohne Reservierung eine Unterkunft zu bekommen.

WIRTSCHAFTSKRISE

Seit der Wirtschafts- und Finanzkrise sowie der Offenbarwerdung der hohen griechischen Staatsverschuldung hat vor allem das einfache griechische Volk schwere Lasten aufgebürdet bekommen. Löhne und Renten wurden gekürzt, viele Steuern kräftig erhöht, Sozialleistungen beschnitten. Die Jugendarbeitslosigkeit erreicht fast 50 %. In Athen kommt es deswegen zu vielen Protesten, im ganzen Land wird häufig gestreikt. Als Urlauber

Griechisch-orthodoxe Priester sind auf Korfu allgegenwärtig

ist man davon aber selten betroffen, von Deutschfeindlichkeit kann keine Rede sein. Man sollte nur besser seine Rückreise nicht auf den allerletzten Urlaubstag legen, denn Seeleute legen häufiger für ganze Tage, Fluglotsen gelegentlich für 4–6 Stunden die Arbeit nieder. Ansonsten aber weiß man auf Korfu, dass nur der Tourismus der Insel helfen kann.

ESSEN & TRINKEN

Leider trägt auch der Tourismus ganz erheblich zur Verarmung griechischer Speisekarten bei. Viele Urlauber bestellen immer wieder das Gleiche: Moussaká, Souvláki, Tzazíki und einen griechischen Salat. Ausgefallenere Gerichte haben auf Korfu kaum eine Chance – und werden deswegen insbesondere im Sommerhalbjahr immer seltener angeboten.

Machen Sie sich also um den Erhalt echt griechischer Küche verdient, indem Sie Unbekanntes probieren. Es müssen ja nicht gleich gegrillte Lammköpfe *(kefalákia)* oder Hammelhoden *(ameletitta)* sein. In den meisten Restaurants und Tavernen gibt es mehrsprachige Speisekarten. Viele Wirte sind aufgrund der zahlreichen Touristen dazu übergegangen, Fotowände aufzustellen, auf denen die Gerichte abgebildet sind. Meist sehen sie auf dem Teller aber ganz anders aus, denn die Aufnahmen wurden im Studio geschossen.

In traditionellen Restaurants und Tavernen können Sie die Auswahl an gekochten Gerichten und rohem Grillfleisch im Warmhalte- bzw. Kühltresen begutachten. Ein Blick in die Kochtöpfe – früher selbstverständlich in vielen griechischen Lokalen – wird Ihnen heute nur noch selten gestattet. Frischen Fisch wählt man immer selbst aus dem Kühltresen oder Kühlschrank aus und lässt ihn dann zubereiten.

Griechen lieben es, möglichst viele Teller mit verschiedenen Gerichten gleichzeitig auf dem Tisch zu haben. Sie gehen

Gýros können Sie auch zu Hause essen, doch hier sollten Sie echt korfiotisch speisen – meist erst spät am Abend und selten allein

allerdings abends auch selten allein zum Essen aus. Für sie ist die fröhliche Tischgemeinschaft, *paréa* genannt, ebenso wichtig wie der kulinarische Genuss. In einer *paréa* bestellt man immer viele verschiedene Speisen. Sie werden in die Mitte des Tischs gestellt. Jeder nimmt sich, was er mag und so viel er mag. Meist werden auch Fleisch und Fisch auf großen Platten serviert und von allen gemeinsam verzehrt. Üblicherweise bestellt man viel mehr, als man essen kann: Vollständig aufzuessen gilt als Blamage, zeigt es doch, dass man offenbar nicht genug geordert hat. Alle Teller, auch die leer gegessenen, bleiben auf dem Tisch stehen. Der Kellner räumt sie nicht ab, damit die *paréa* immer sehen kann, wie gut sie gespeist hat.

Jederzeit ist Essenszeit. Nahezu alle Restaurants und Tavernen, die nicht nur vom Tourismus leben, sind den ganzen Tag über geöffnet. Häufig wird schon ab 10 Uhr morgens ein englisches Frühstück serviert; die Hauptmahlzeiten können jederzeit zwischen 11 und 24 Uhr ein-

SPEZIALITÄTEN

- **bakaljáros me skordaljá** – Stockfisch vom Seehecht *(merluza)*, serviert mit Kartoffel-Knoblauch-Püree
- **bekri mezé** – in Rotwein gedünstetes Schweinegulasch
- **bourdéto** – korfiotisches Fisch- oder (seltener) Fleischgericht in einer leicht scharfen Soße; wird als Vorspeise meist mit *galéo* (Glatthai) zubereitet oder als Hauptgericht mit *skórpios* (Skorpionfisch) oder *pastanáka* (Stachelrochen)
- **briám** – eine Art Ratatouille
- **chélia** – Aal, gegrillt, gebraten oder als Sülze: eine korfiotische Spezialität (Zubereitung auf Vorbestellung)
- **gópes** – gebratene oder ausgebackene Sardinen, wird auch als Zwischenmahlzeit gereicht
- **juvétsi** – überbackene Nudeln mit Rindfleisch, seltener mit Lamm
- **kokorétsi** – in Naturdarm gewickelte und am Spieß gegrillte Innereien
- **marídes** – – knusprig ausgebackene Sardellen, die komplett verzehrt werden
- **nouboúlo** – Spezialität aus dem Nordwesten der Insel: leicht geräucherter Schweineschinken (Vorspeise)
- **pastitsáda** – Rind- und Hühnerfleisch mit Nudeln
- **patsária** – Rote Bete, kalt als Salat oder lauwarm als Gemüse serviert
- **sofríto** – Rinderbraten, in Knoblauch und Essig mariniert, in Wein geschmort
- **spanakópitta** – Blätterteigtasche mit Spinat gefüllt (Foto li.)
- **stifádo** – Rinds- oder Kaninchengulasch in Tomaten-Zimt-Soße
- **táramosaláta** – rötliches Püree aus Kartoffeln oder eingeweichtem Brot und Fischeiern (Vorspeise)
- **tirópitta** – mit Käse gefüllte Blätterteigtasche
- **tzizimbírra** – Zitronenlimonade mit leichtem Ingwergeschmack

genommen werden. Wenn Restaurants zwischendurch einmal schließen, dann meist zwischen 16 und 18 Uhr. Fast überall berechnet man Ihnen zwischen 0,20 und 3 Euro für das *couvert*, also für Besteck, Servietten und Brot. Darauf zu verzichten ist nicht möglich.

Für den kleinen Hunger sind die *psistariá*, Imbissstuben, eine gute Alternative zum Restaurant. Dort können Sie im Stehen oder Sitzen *gýros* vom Huhn oder Schwein mit *pítta* (einer Art Fladenbrot) oder *gýros* als Tellergericht *(mérida)* bestellen, Frikadellen, Landwurst und häu-

ESSEN & TRINKEN

fig auch Hähnchen. Pommes gehören immer dazu. Pizzerien sind in fast jedem Urlaubsort zu finden, ausländische Spezialitätenrestaurants hingegen selten. Immerhin gibt es einige chinesische und italienische Lokale und viele englische Pubs mit echtem Pub-Grub wie *steak & kidney pie* oder *Ploughman's lunch.*

Liebhaber süßer Leckereien zieht es ins *zácharoplastío*, die griechische Variante der Konditorei. Neben Cremetörtchen und Sandkuchen gibt es hier überwiegend orientalische Spezialitäten wie *baklavás* und *kataífi* (Engelshaar).

Zum Trinken wird Ihnen neben reinem Wasser häufig Wein vom Fass angeboten, in guten Restaurants auch eine große Auswahl an Flaschenweinen – und zunehmend griechische Bio-Weine. *Rétsina*, also geharzter Weißwein, ist besonders preiswert und wird vor allem in einfachen Tavernen viel getrunken. Als alkoholisches Nationalgetränk gilt der Anisschnaps *oúzo*, der milchig wird, wenn man ihn mit Wasser mischt. Nach dem Essen schmeckt der Weinbrand *metaxá*, den es in unterschiedlicher Qualität gibt: mit drei, fünf oder sieben Sternen. Eine korfiotische Spezialität ist das ⊙ *tzitzimbírra*, ein alkoholfreies Getränk aus frischem Zitronensaft, Zucker, Wasser und einem Hauch Ingwer. Es wird Ihnen ab Anfang Mai vor allem in Binnendörfern wie Sokráki im Inselnorden angeboten. Seine Produktion stand Anfang der 1990er-Jahre vor dem Aus. Erst die durch Reiseführer wie diesen hier angekurbelte Nachfrage durch Urlauber hat das traditionelle Getränk am Markt gehalten. Wer es bestellt, handelt nachhaltig – und schmackhaft ist es außerdem.

Kaffee trinken die Griechen den ganzen Tag über bei nahezu jeder Gelegenheit. Kaffee zu bestellen ist in Griechenland allerdings eine kleine Wissenschaft für sich. Sie haben die Wahl zwischen dem griechischen Mokka, *kafé ellinikó*, dem heißen Instantkaffee, generell *ness sestó* genannt, dem kalten, schaumig geschlagenen und mit Eiswürfeln ser-

Stets gut besetzt: Cafés in den Arkadengängen von Kérkyra

vierten Instantkaffee, *frappé*, und dem trendigen *freddo* als Cappuccino oder Espresso. Beim griechischen Kaffee müssen Sie übrigens bei der Bestellung immer gleich den gewünschten Süßegrad mit angeben, da das Wasser zusammen mit dem Kaffeepulver und dem Zucker aufgekocht wird: *skétto*, ohne Zucker; *métrio*, mit etwas Zucker; *glikó*, mit viel Zucker. Und: Griechischen Kaffee trinkt man grundsätzlich ohne Milch. Möchten Sie Ihren heißen oder kalten Nescafé mit Milch, fügen Sie *mä gála* an. Speziell auf Korfu geben vor allem ältere Menschen gern einen kleinen Schluck *oúzo* in den Kaffee und bestellen *kafé ellinikó mä polí lígo úso mässa.*

EINKAUFEN

T-Shirts mit aufgebügelten Sprüchen und Motiven begegnen Ihnen auf Schritt und Tritt. Anspruchsvollere Souvenirs sind selten, von Gold- und Silberschmuck, handgemalten Ikonen, Keramik, Leder und einigen Antiquitäten abgesehen.

Geschäfte mit Niveau konzentrieren sich auf die Stadt Korfu, wo auch die Einheimischen einkaufen. Sie sind freilich weniger auf der Suche nach korfiotischen Produkten als vielmehr nach schicker Mode aus Athen und Italien. Die Korfioten bevorzugen anstelle der üblichen Filialisten und Kaufhäuser eher kleinere Boutiquen, die meist nur eine geringe Auswahl bieten. Sind Sie auf Schnäppchenjagd? Dann sollten Sie in den ersten 20 Augusttagen die Augen offen halten, denn dann ist Sommerschlussverkauf mit Rabatten bis zu 70 Prozent.

Öffnungszeiten: Die Geschäfte sind normalerweise montags bis samstags von 8.30 bis 14 Uhr geöffnet und außerdem dienstags, donnerstags und freitags von 18 bis 21 Uhr. In Supermärkten und Souvenirgeschäften hingegen können Sie täglich meist durchgehend von 8.30 bis 23 Uhr einkaufen. Die kleineren Geschäfte in der Abflughalle des Flughafens sind für letzte Souvenirkäufe rund um die Uhr zu allen Abflügen geöffnet.

KOUM KOUÁTS

● Eine einzigartige Inselspezialität sind die Zwergorangen von höchstens 4 cm Länge mit gelb-orangefarbener Schale, *koum kouáts* (Kumquats) genannt. Die vitaminreichen Zitrusfrüchte werden zu Marmelade und Likör verarbeitet oder als kandierte Früchte angeboten. Als neuester Trend gilt die Kreation eines Eau de Toilette mit fruchtig-herbem Koum-Kouát-Aroma.

KULINARISCHES

Wer wirklich Korfiotisches mit nach Hause bringen will, kauft landwirtschaftliche Erzeugnisse. Sie werden auf Wochenmärkten, in Privathäusern und *kafenía*, in den Krämerläden der Dörfer und an Ständen am Straßenrand angeboten. Mancherorts können Sie auch Thymianhonig direkt vom Imker beziehen. Kräuter von den Inselbergen kaufen Sie am besten in Makrádes.

KUNSTHANDWERK

Ausgefallen sind geschnitzte Dinge aus Olivenholz: Schalen, Becher und Salatbesteck, aber auch Kleinmöbel wie Hocker

Die Natur ist der beste Lieferant – wer sucht, findet köstliche korfiotische Spezialitäten und schönes Kunsthandwerk

oder Tische. Sie können Sie in mehreren Geschäften in der Altstadt von Korfu, aber auch in Bergdörfern wie Makrádes, Lákones und Strinílas und im Badeort Acharávi erstehen. Auf Korfu gefertigte Kunst- und Wohnobjekte aus farbigem Glas kaufen Sie am besten in Ágios Stéfanos Avliotón oder in der Altstadt von Korfu, wo es auch mehrere Antiquitätengeschäfte gibt.

MUSIK

In Souvenirgeschäften werden viele CDs mit griechischer Musik à la Aléxis Sorbás relativ preiswert angeboten, die kein Grieche kaufen würde. Wer qualitativ gute Aufnahmen aktueller griechischer Musik gleich welcher Stilrichtung sucht, geht besser in eins der Spezialgeschäfte in der Inselhauptstadt, lässt sich beraten und hört in die Aufnahmen hinein. Griechen kaufen auch häufig schwarzgebrannte CDs von den zumeist aus Schwarzafrika stammenden Straßenhändlern. Sie sind jedoch illegal hergestellt und von meist schlechter Qualität.

OLIVENÖL

Das naturreine Olivenöl aus Korfu schmeckt fast noch besser, wenn man weiß, aus welchem Hain es stammt. Wegen der zurzeit geltenden Sicherheitsbestimmungen im Luftverkehr sollte man es allerdings nur in Dosen kaufen. Als weitere Spezialität wird auf Korfu auch eine leckere Olivenpaste hergestellt – gut als Dip und Brotaufstrich. Empfehlenswert ist auch die Olivenölseife der Insel.

WEIN, LIKÖR & SPIRITUOSEN

Korfiotische Weine, Liköre und andere Spirituosen können Sie in Kellereien und Destillerien sowie an Straßenständen verkosten, bevor Sie sie kaufen. Offene Weine sind jedoch meist nicht transportfähig.

DIE PERFEKTE ROUTE

KÉRKYRA – EINE DER SCHÖNSTEN IM GANZEN LAND
Starten Sie Ihre Tour in ❶ *Kérkyra* → S. 32. Die griechische Beauty-Queen vereint einen Hauch venezianischer Eleganz mit britischem Spleen, liegt am Meer und blickt aufs Hochgebirge. Sie lockt zum Shoppen, bietet Kirchen, Museen und eine schier unendliche Auswahl an Cafés, Tavernen und Restaurants.

BLICK VOM HÖCHSTEN INSELGIPFEL
Falls Sie aufs kühle Nass in den stadtnahen Badeorten wie *Kontokáli* → S. 86, *Guviá* → S. 86 und ❷ *Dassiá* → S. 81 verzichten, die bis an den Fuß des Pantokrátors heranreichen, dann fahren Sie von *Pirgí* über *Spartílas* nach *Strinílas* → S. 59. Nach einer Pause in der kleinen Taverne unter einer uralten Ulme geht es die Serpentinen hinauf zum 906 m hohen Gipfel des ❸ *Pantokrátor* → S. 59 (Foto li.). Selbst das Wenden erfordert hier Schwindelfreiheit.

DIE NORDKÜSTE ERKUNDEN
Von ❹ *Acharávi* → S. 48 fahren Sie an der Nordküste entlang nach *Sidári* → S. 54 und zum ❺ *Kap Drástis* → S. 57. Der Blick an den Kreideklippen entlang ist ebenso phantastisch wie der aufs Meer, in dem die winzigen Diapontischen Inseln Sprungsteine nach Italien darstellen.

TRAUMSTRAND & FEINSTES OLIVENÖL
Gönnen Sie sich auf der Weiterfahrt an einem der langen Sandstrände, an denen noch kein Großhotel steht, einen Sprung ins Wasser. In *Peruládes* → S. 57 zieht sich das Strandband schmal unter der Steilküste entlang, nahe *Ágios Stéfanos* wird es kilometerlang und bis zu 100 m breit. Beim Dorfbummel durch ❻ *Afiónas* → S. 55 fällt der Blick aus der Vogelperspektive mal auf die Bucht von *Arillás* → S. 55 im Norden und mal auf die Traumstrandbucht von *Ágios Geórgios Pagón* → S. 55 im Süden. Bevor Sie weiterfahren, sollten sie noch das feine Olivenöl probieren.

ENGELSBURG & HIMMELSBALKONE
Das ❼ *Angelókastro* → S. 66 gleicht wirklich einer Engelsburg hoch über dem Meer, in *Lákones* → S. 63 wirken die Terrassen der Cafés und Tavernen wie Himmelsbalkone. Von ihnen blicken Sie über Ölbäume und Zypressen auf *Paleokastrítsa* → S. 63 hinab, das viele Korfioten als schönsten Ort auf Erden bezeichnen.

Erleben Sie die vielfältigen Facetten Korfus auf einer zweitägigen Rundfahrt mit kleinen Abstechern links und rechts der Hauptroute

VERSCHNAUFEN IM GRÜNEN

Das grüne *Rópa Valley* bietet eine Verschnaufpause von den vielen Kurven und dem steten Auf und Ab der Straße. Wahrscheinlich erreichen Sie das ehemalige Hippiedorf ❽ *Pélekas* → S. 89 hoch über dem Tal dann zur idealen Zeit – zum Sonnenuntergang. Lassen Sie den Tag hier ausklingen. Zum Übernachten geht's zurück in Ihr Hotel oder nach ❶ *Kérkyra*, das nur 13 km entfernt ist.

AUF DEN SPUREN ZWEIER MAJESTÄTEN

Das berühmte Schlösschen ❾ *Achíllion* → S. 47 (Foto u.) von Kaiserin Sisi, in dem auch Kaiser Wilhelm II. weilte, können Sie am besten genießen, indem Sie heute etwas früher aufstehen und gleich bei Öffnung dort sind. Wenn dann die Massen von den Kreuzfahrtschiffen kommen, sind Sie bereits in ❿ *Lefkimi* → S. 72 im Inselsüden, dem Städtchen mit dem schönsten Flusshafen der Insel.

HOHE DÜNEN, GROSSER SEE & LANGER STRAND

Eine großartige Dünenlandschaft erwartet Sie bei ⓫ *Ágios Geórgios Argirádon* → S. 68. Gleich dahinter liegt Korfus größtes Binnengewässer, der ⓬ *Koríssion-See* → S. 69. Der Strand auf seiner nördlichen Nehrung ist kilometerlang und nahezu menschenleer, die einzige Taverne über dem winzigen Hafen von *Alonáki* → S. 70 wohl die beste und lauschigste weit und breit. Einem Zauberwald gleichen die jahrhundertealten Olivenwälder entlang der Küstenstraße nach *Paramónas* → S. 75 und ⓭ *Pendáti* → S. 76 mit seiner Panorama-Snackbar, von wo Sie nur noch zurück in die Stadt fahren müssen, um die Route zu beenden.

180 km. Reine Fahrzeit: 5 Stunden. Detaillierter Routenverlauf auf dem hinteren Umschlag, im Reiseatlas sowie in der Faltkarte

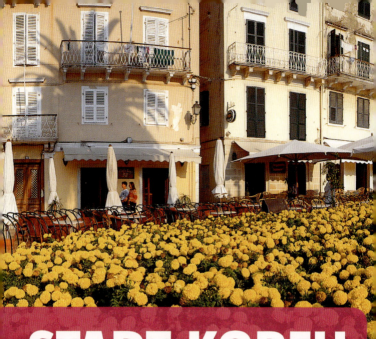

Bild: In der Altstadt von Kérkyra

STADT KORFU

WOHIN ZUERST?

Um zur zentralen **Esplanade (U E–F 3–5)** (*e–f 3–5*) zu gelangen, gehen Sie vom Fernbus aus zur Platía G. Theotókou (Sarocco Square) hinauf, auch Endstation der Stadtbusse aus den nahen Badeorten. Auf der Odós G. Theotóki, die sich als Odós Voulgaréos durch die Altstadt zieht, kommen Sie zu dem weiten Platz zwischen Alter Festung, Altem Palast und Ionian Academy. Mit dem Auto parken Sie am besten am Alten Hafen (der Parkplatz auf der Esplanade ist oft überfüllt) und laufen dorthin durch die Altstadt oder am Meer entlang.

KARTE IM HINTEREN UMSCHLAG

Die Stadt Korfu, griechisch Kérkyra (127 E5–6) (*D5*), ist anders als andere griechische Städte. Ihre Architektur zeugt deutlich davon, dass die Insel nie türkisch, sondern 400 Jahre lang venezianisch und fast 50 Jahre lang britisch war. Griechisch ist Korfu (28 000 Ew.) erst wieder seit 1864.

Zwei Burgen, die Alte und die Neue Festung, gaben Venezianern und Griechen jahrhundertelang Sicherheit vor türkischer Eroberung. Zwischen diesen beiden Festungen liegt die 2007 in die Liste des Unesco-Welterbes aufgenommene Altstadt, deren schönster Teil das Wohnviertel *Cambiéllo* ist. Dort säumen vier- und fünfgeschossige Mietshäuser mit oft abenteuerlich aufgesetzten Penthäusern

Weltkulturerbe Kérkyra – eine lebendige Metropole, deren Altstadt als die schönste des Lands gilt

das verwirrende Labyrinth der Gassen, über denen Wäsche zum Trocknen aufgehängt ist. Katzen und Hunde streunen umher, unter dem bröckelnden Putz werden immer wieder ausgebesserte Ziegelsteinmauern sichtbar. Hier liegt ein alter Torbogen frei, dort schmücken Reliefs und kleine Skulpturen die Häuser.

Am schönsten ist ein Bummel durch dieses Viertel am frühen Sonntagmorgen, wenn die Glocken läuten und aus den Kirchen byzantinische Sprechgesänge erklingen. Dazu sind auf dieser in klassische Musik vernarrten Insel manchmal auch fromme Kirchenmusik römisch-katholischer Prägung vom Band oder CD-Spieler zu hören – das gibt's sonst nirgends in Griechenland!

Im Süden und Südwesten schließt sich an Cambiéllo das Geschäftsviertel der Altstadt an. Unter schattigen Arkaden säumen ganze Reihen von Läden breite, marmorgepflasterte, bei Regen sehr glatte Gassen, die sich mehrfach zu kleinen Plätzen weiten. Hauptplatz der Stadt aber ist die weite Esplanade vor der Alten Festung, an der sich ein Café an das nächste reiht. Um die Altstadt herum ziehen sich Neubauviertel. Sie bestehen hier aber nicht wie so häufig in Griechenland aus hässlichen Betonwüsten. Mit ihren Alleen und Arkaden wirken sie eher aristokratisch. Die Dächer sind oft mit Ziegeln gedeckt, Gärten lockern die Bebauung auf.

Kérkyra lohnt mindestens zwei Besuche. Einen am Vormittag, um über den Markt und durch die Geschäftsviertel zu schlendern, Museen, Kirchen und Festungen zu besichtigen – und einen zweiten am späten Nachmittag und Abend, um über die Esplanade zu flanieren, sich ins Café zu setzen und später in einer Altstadttaverne wie die Griechen zu Abend zu essen. Außerdem: Für eine ausgiebige Club- und Diskotour gibt es überhaupt keine Alternative zur Inselhauptstadt!

Falls Sie mit dem Auto kommen: Am Rand der Altstadt finden Sie Parkplätze am Alten Hafen *(Kosten 1,50 Euro/Tag)* und an der Esplanade *(2 Euro/Tag)*. Zur Stadtrundfahrt können Sie Pferdekutschen vor dem Schulenburg-Denkmal auf der Esplanade sowie tagsüber auch am Alten Hafen mieten *(ca. 30 Euro/30 Min.)*.

SEHENSWERTES

ALTE FESTUNG (U C5–6) (*m* c5–6)

Die felsige Halbinsel mit zwei etwa 60 m hohen Hügeln im Osten der Altstadt war Byzantinern und Venezianern der ideale Ort für die Anlage einer Festung. Innerhalb ihrer Mauern lag bis zum 16. Jh.

Die Alte Festung trotzte so mancher Belagerung, heute ist sie das Wahrzeichen von Kérkyra

auch Kérkyra. Zur Landseite hin wird die Festung durch einen tief in den Fels eingeschnittenen Wassergraben, die *Contrafossa*, geschützt. Hier liegen kleine Fischerboote, an seinem Rand stehen als Wochenendhäuschen und Schuppen genutzte Wellblechhütten. Im Torbau ist eine kleine Ausstellung untergebracht, in der sehr schöne Mosaike aus der frühchristlichen Basilika von Paleópolis zu sehen sind.

STADT KORFU

Eindrucksvollster Bau ist die von den Engländern errichtete, meist verschlossene Georgskirche mit einer Fassade, die einen dorischen Tempel nachahmt. Vom vorderen ☼ Gipfel der Halbinsel haben Sie einen einzigartigen Blick über die gesamte Stadt. *Tgl. 9–16 Uhr | Eintritt 4 Euro, Kombiticket* (s. S. 114), *danach bis 2 Uhr kostenlos, aber ohne Zugang zum Gipfel*

ALTER PALAST (U F2) (*m f2*)

Die Engländer ließen am nördlichen Rand der Esplanade das größte Gebäude der Stadt 1819–23 für den Lordhochkommissar der Inseln im klassizistischen Stil erbauen. Als Material diente Sandstein aus Malta, das sich die Briten ebenfalls angeeignet hatten. Sie brachten auch sachkundige maltesische Steinmetze für die Bauarbeiten mit, von denen viele auf Korfu blieben. Für Offiziere, die sich auf Malta und den Ionischen Inseln verdient gemacht hatten, war kurz zuvor der Orden des hl. Georg und des hl. Michael gegründet worden, der in diesem Palast seinen Sitz nahm. Heute sind zwar nur wenige Räume zugänglich, sie vermitteln dennoch einen guten Eindruck von der Pracht, in der die britischen Hochkommissare im 19. Jh. residierten. *Di–So 8.30–15 Uhr | Eintritt 3 Euro, Kombiticket* (s. S. 114) *| Esplanade*

ARCHÄOLOGISCHES MUSEUM ★
(U B6) (*m b6*)

Im (derzeit für Renovierungsarbeiten geschlossenen) Museum werden überwiegend Funde aus der antiken Stadt Kérkyra gezeigt. Die wertvollsten Objekte sind die Überreste zweier Tempelgiebel. Der archaische *Górgo-Giebel* aus der Zeit um 590 v. Chr. sollte Unheil vom Tempel fernhalten. Frontal präsentiert er die kniende Gorgone Medúsa mit ihrer schrecklichen Fratze, deren Anblick jeden Feind sofort zu Stein erstarren ließ. Der spätarchaische *Figarétto-Giebel* aus der Zeit um 510 v. Chr. erzählt aus der griechischen Mythologie. Zu sehen sind der Gott des Weines, Dionysos, sein nackt hinter ihm liegender Sohn Oinopion und fer-

---

MARCO POLO HIGHLIGHTS

★ **Archäologisches Museum**
Meisterwerke aus früher griechischer Zeit – derzeit jedoch leider in Restaurierung → S. 35

★ **Byzantinisches Museum**
Wertvolle Ikonen, ausgestellt in einer ehemaligen Kirche → S. 37

★ **Esplanade**
Ein schöner Platz und viele Straßencafés → S. 38

★ **Mon Repos**
Kleines Schloss in wildem Park → S. 41

★ **Old Fortress Café**
Cooles Design, Drinks und kleine Leckereien in historischer Festung → S. 43

★ **Vassilákis**
Korfiotische Liköre und Spirituosen → S. 44

★ **Wochenmarkt**
Markt im Festungsgraben → S. 45

★ **Cavalieri Roof Garden**
Abendstunden über den Dächern der Stadt → S. 46

★ **Bella Venezia**
Erschwingliches Hotel mit historischem Flair → S. 46

★ **Achíllion**
Deutsch-österreichisches Traumschloss hoch über der Küste mit prächtiger Gartenanlage → S. 47

35

ner ein Löwe, das Fragment eines Hundes und ein großer Weinkrater, ein tönernes Trinkgefäß mit zwei Henkeln. In der nicht erhaltenen anderen Hälfte des Giebels war der Gott Hephaistos zu sehen, den Dionysos trunken machte, um ihn auf den Götterberg Olymp entführen zu können.

Älter als beide Giebel ist die früharchaische Plastik eines liegenden Löwen aus der Zeit um 630 v. Chr. Sie zeigt deutlich die ersten Versuche der Loslösung der griechischen Kunst von der starren, stilisierten Darstellungsweise ihrer orientalischen Vorbilder. *Zurzeit geschl., Wiedereröffnung 2015/16 | Odós Wraíla 1*

ARTEMIS-TEMPEL (127 E6) (*m* D5)

Die 1812 entdeckten Überreste des bedeutendsten Tempels des antiken Kérkyra sind mehr als spärlich und kaum ein Foto wert. Trotzdem konnten Archäologen feststellen, dass der Tempel um 590 v. Chr. erbaut wurde, 48 m lang und 22 m breit war und dass die Ringhalle von 48 über 6 m hohen Säulen gebildet wurde, von denen heute keine mehr steht. Nur der 2,70 m breite und 25,4 m lange Opferaltar blieb leidlich gut erhalten. Die ersten wissenschaftlichen Ausgrabungen machte übrigens der deutsche Altertumsforscher Wilhelm Dörpfeld unter reger Anteilnahme Kaiser Wilhelms II. *Frei zugänglich | vor den Mauern des Klosters Ágii Theodóri gelegen, Zugang von der Basilika von Paleópolis aus über die Odós Derpfeld, bei der ersten Gabelung über die Asphaltstraße nach links weitergehen | Stadtbus nach Kanóni, Haltestelle Paleópolis*

BANKNOTEN-MUSEUM (U E3) (*m* e3)

Das kleine Privatmuseum im Gebäude der Ionian Bank präsentiert Banknoten aus verschiedenen Zeiten und Ländern und erklärt pikanterweise auch ihre Herstellung. *April–Sept. Mi und Fr 9–14 und 17.30–20.30, Do 9–15, Sa/So 8.30–15, sonst Mi–So 8–15 Uhr | Eintritt frei | Odós N. Theotóki*

Wahre Geschichtenerzähler sind die Giebel im Archäologischen Museum

STADT KORFU

BASILIKA VON PALEÓPOLIS
(127 E6) (*m D5*)

Gegen Ende des 5. Jhs. erbauten die frühen Christen Korfus über den noch erkennbaren Resten eines kleinen römischen Musiktheaters, eines Odeons, eine fünfschiffige Basilika, von der im Boden Spuren erhalten sind. Sie war ursprünglich mit prächtigen Bodenmosaiken geschmückt, von denen es noch schöne Fragmente in einem Ausstellungsraum in der Alten Festung gibt. Die eindrucksvollen, unter Verwendung antiker Bauteile errichteten Mauern stammen von einer kleineren gotischen Kirche aus venezianischer Zeit. *Di–So 8.30–15 Uhr | Eintritt frei | gegenüber vom Eingang zum Schlosspark Mon Repos | Stadtbus nach Kanóni, Haltestelle Paleópolis*

INSIDER TIPP ▶ BRITISCHER FRIEDHOF ●
(U A–B6) (*m a–b6*)

Der wie ein verwunschener Park wirkende Friedhof ist mit seinen kolonialen Grabdenkmälern nicht nur ein äußerst romantischer Platz, sondern im Frühjahr und Herbst wegen der vielen wild wachsenden Orchideen auch eine besondere Attraktion für Blumenfreunde. *Tgl. von Sonnenauf- bis -untergang | Odós Kolokotróni 25*

BYZANTINISCHES MUSEUM ★
(U D1) (*m d1*)

Über Hundert wertvolle Ikonen des 15.–18. Jhs. aus korfiotischen Gotteshäusern haben in der Altstadtkirche *Panagía Antivuniótissa* eine würdevolle neue Heimat gefunden. Leise byzantinische Kirchengesänge untermalen den Rundgang. Zwei Ikonen sind der Geschichten wegen, die sie erzählen, besonders zu erwähnen: Die vierte Ikone links von der Kasse, ein Werk im traditionellen byzantinischen Stil aus der Zeit um 1490, zeigt den hl. Georg zu Pferde, hinter ihm sitzt

Verwunschen und friedlich: der Britische Friedhof

ein Knabe mit einer Teekanne und einem Becher in der Hand. Piraten hatten ihn entführt und zu ihrem Mundschenk gemacht. Seine Mutter wandte sich in ihrem Kummer an den hl. Georg, der ihr den Jungen umgehend zurückbrachte. Die Ikone links vom Westportal, ein Werk des berühmten kretischen Malers Michaíl Damáskinos aus der Zeit um 1572 im sogenannten kretischen Stil, zeigt die hll. Sérgios, Bákchos und Justíni. Ihrem Wirken schrieb man den Sieg der christlichen Flotte über die der Türken am 7. Oktober 1571 zu, denn der 7. Oktober ist ihr Festtag. Sie stehen auf einem enthaupteten, dreiköpfigen Ungeheuer, das die türkische Flotte symbolisiert. *Di–So 9–16 Uhr | Eintritt 3,50 Euro, Kombiticket (s. S. 114) | Stufen führen von der Odós Arseníu aus hinauf*

ESPLANADE ★
(U E–F 3–5) (*m e–f 3–5*)

Die weitläufige Esplanade hat in Korfu die Funktion der in anderen griechischen Städten üblichen *platía* (Platz): Sie ist der Mittelpunkt allen sozialen und geselligen Lebens, ist Schauplatz der allabendlichen *vólta*, des traditionellen Flanierens, und gelegentlicher Militärparaden, ist Treffpunkt für Jung und Alt, Einheimische und Urlauber. Die Venezianer schufen sie im 17. Jh. Bis dahin hatten die Häuser der Stadt noch unmittelbar bis an die Alte Festung herangereicht. Das Militär ließ sie abreißen, um im Falle einer Belagerung freies Schussfeld zu haben. Später diente diese Grünfläche als Exerzierplatz. Heute wird auf dem Rasen Kricket gespielt. In den schattigen Parkanlagen steigt eine Fontäne auf. Eines der hier aufgestellten Denkmäler erinnert an die Vereinigung der Ionischen Inseln mit dem freien Griechenland im Jahr 1864. Es zeigt sieben Bronzereliefs mit Symbolen der sieben Hauptinseln. Für Korfu ist es das Schiff der Phäaken, jenes sagenhaften Volks, das nach Homer einst auf Korfu lebte und Odysseus mit einem Schiff zurück in seine Heimat Ithaka brachte.

Die Westseite der Esplanade wird von hohen, noch heute bewohnten Häusern aus dem frühen 19. Jh. gesäumt. Unter deren *Liston* genannten Arkaden sitzen Sie gut in den kleinen Sesseln der Cafés – allerdings auch ziemlich teuer.

FALIRÁKI (ÁGIOS NIKÓLAS GATE)
(U F1) (*m f1*)

Heute ist der schmucke Bau mit der kleinen Nikolaus-Kapelle auf einer Landzunge nördlich der Alten Festung ein idealer Ort, um bei einem Drink oder einem guten Essen direkt am Wasser zu relaxen. Im 19. Jh. diente er als Terminal für die Fahrgäste der Dampf- und Segelschiffe, die auf der Reede zum Ein- und Ausschiffen vor Anker lagen und oft Auswanderer nach Amerika brachten. *Meist 8–2 Uhr (solange die Lokale geöffnet sind) | freier Zugang von der Odós Arseníu*

FRIEDHOFSKIRCHE (127 E6) (*m D5*)

In der 1840 erbauten Kirche auf dem Hauptfriedhof der Stadt hängen drei wertvolle Ikonen des kretischen Malers Michaíl Damáskinos aus dem späten 16. Jh. Sie zeigen Christus als Hohepriester, Maria und den hl. Antónios. *Tgl. 7.30–17.30 Uhr | Stadtteil Anemómilos, Zugang von der Odós Anapáseos*

KANÓNI, KLOSTER VLACHÉRNA UND PONTIKONÍSSI ● 🌿
(127 E6) (*m D 5–6*)

Eine Kanone aus der Zeit der Napoleonischen Kriege hat dem Aussichtspunkt an der Spitze der Halbinsel Análipsis seinen Namen gegeben. Der Blick von hier auf die beiden vorgelagerten Inselchen *Vlachérna* und *Pontikoníssi* ist das korfiotische Postkartenmotiv schlechthin. Vlachérna ist zu Fuß über einen kurzen Damm zu erreichen und wird fast vollständig von einem um 1700 erbauten, heute leer stehenden Kloster eingenommen. Vom Damm aus setzen Boote zur „Mäuseinsel" (so die Übersetzung von Pontikoníssi) über, auf der die österreichische Kaiserin Sisi früher so gern saß. Die kleine Kirche stammt aus dem 12. Jh. *Kloster und Kirche tagsüber frei zugänglich*

KARDÁKI-QUELLE (127 E6) (*m D5*)

Ein Spaziergang führt Sie von der Siedlung Análipsis auf einem schmalen Pfad am Rande des Schlossparks von Mon Repos zu diesem venezianischen Brunnen hinunter, dessen Wasser früher aus dem Kopf eines Markuslöwen floss. *Frei zugänglich | der Weg beginnt an der*

STADT KORFU

platzartigen Erweiterung vor der Kirche und dem Friedhof von Análipsis zwischen Hausnummer 14 und 18

KIRCHE ÁGIOS JÁSON KE SOSSÍPATROS (127 E6) (*D5*)

Die 1000 Jahre alte Kreuzkuppelkirche ist das schönste Beispiel byzantinischer Architektur auf Korfu. Der untere Teil des Mauerwerks wurde aus antiken, regelmäßig behauenen Tuffsteinen errichtet; weiter oben werden die Quader durch dekorative Ziegelsteinbänder getrennt – besonders eindrucksvoll an der Ostwand. Die Ziegel sind hier nach Art in Arabien beliebter kufischer Schriftzeichen zur Buchstabenkombination IC geordnet, dem Monogramm für Jesus Christus. *Frei zugänglich | Anemómilos | Stadtbus nach Kanóni Haltestelle Jáson ke Sossípatros*

KIRCHE ÁGIOS SPIRÍDONAS ●
(U E2–3) (*e2–3*)

Die von Gläubigen mit wertvollen Weihgaben überhäufte Kirche des Inselschutzheiligen steht mitten in der Altstadt. Ihr kostbarster Besitz sind die Gebeine des hl. Spiridon, eines zypriotischen Märtyrers aus der Zeit um 300. Die Reliquie gelangte 1456 durch Kauf nach Korfu, wo der Heilige im Lauf der Jahrhunderte zahlreiche kleine und große Wunder bewirkt haben soll.

Das Kircheninnere wurde im 18. und 19. Jh. ganz im Stil der Ionischen Malschule ausgeschmückt – also mit Deckenmalereien und Ikonen, die nicht mehr in der Tradition von Byzanz stehen, sondern sich ganz an westlichen Vorbildern orientieren. In der rechten Seitenkapelle hinter der Ikonostase steht der mit getriebenem Silber verkleidete Ebenholzsarkophag des hl. Spiridon. Den ganzen Tag über kommen Gläubige jeden Alters, entzünden eine Kerze, küssen den Sarkophag und schreiben einen Wunsch oder Dank an den Heiligen in ein ausliegendes Buch. Über dem Sarkophag hängen von Gläubigen gestiftete silberne Öllampen. Einige davon sind deutlich als Gaben von Seeleuten und Reedern zu erkennen: Silberne Schiffsmodelle oder Votivtäfelchen mit Schiffsreliefs zieren sie. *Tagsüber geöffnet | Odós Spirídonos*

Turm der Kirche Ágios Spirídonas

KIRCHE PANAGÍAS SPILIÓTISSIS KE AGÍON VLASÍU KE THEODÓRAS (MITRÓPOLIS) (U D2) (📖 d2)

Die „Kirche der Allheiligen der Höhle und der hll. Blasius und Theodora" wird von den Einheimischen nur kurz *Mitrópolis*, also Bischofskirche, genannt. Ihr größter Schatz sind die Gebeine der byzantinischen Kaiserin Theodora, die in einem silbernen Sarkophag in der Kapelle rechts vom Altarraum liegen. Für die Orthodoxie ist die Kaiserin von besonderer Bedeutung, weil sie im Jahr 843 einen über hundertjährigen Bürgerkrieg im Byzantinischen Reich beendete, den Ikonoklasmos. Es ging um die Frage der Gottgefälligkeit von Ikonen und der Berechtigung ihrer Verehrung. Kaiserin Theodora sorgte für den Sieg der Bilderfreunde, ohne den es heute keine Ikonen in orthodoxen Kirchen gäbe. Auf mehreren Ikonen in der Mitrópolis ist sie darum mit einer Ikone in der Hand dargestellt. *Tgl. mindestens 7.30–13 und 16.30–20 Uhr | Odós Vitzarú Kiriakí | Zugang vom Alten Hafen aus*

KLOSTER AGÍAS EFTHÍMIAS (127 E6) (📖 D5)

Das aus venezianischen Zeiten stammende Nonnenkloster besticht durch seinen schönen Innenhof mit vielen Blumen. *Im Sommer tgl. 8–13 und 16–20, sonst 9–12 und 16–18 Uhr | Anemómilos | an der Straße vom Strandbad Mon Repos zur Basilika von Paleópolis*

KLOSTER ÁGII THEODÓRI (127 E6) (📖 D5)

Das Nonnenkloster neben dem einstigen Standort des antiken Artemis-Tempels ist mit seinem auffallend großen und stimmungsvollen Innenhof ein Ort der Stille. In die Klosterkirche wurden Überreste einer frühchristlichen Basilika einbezogen. Nonnen, die fast alle gute Fremdsprachenkenntnisse haben, führen Sie durch die Kirche; das übrige Kloster kann nicht besichtigt werden. *Tgl. 9–13 und 17–20 Uhr (in dieser Zeit dürfen Sie klingeln, falls das Tor verschlossen ist) | Stadtbus nach Kanóni Haltestelle Paleópolis | weiterer Weg wie zum Artemis-Tempel*

KREMASTÍ-BRUNNEN (U D2) (📖 d2)

Der mit ornamentalen Reliefs versehene Brunnen wurde der Stadt im Jahr 1669 „zum Wohl der Allgemeinheit" (so die Inschrift) von einem Privatmann gestiftet und steht auf dem schönsten Platz des Altstadtviertels Cambiéllo. *Platía Líli Desílla | erreichbar über die Odós Agías Theodóras*

LOW BUDGET

▶ Wer den richtigen Tag wählt – oder mit Glück gerade in Kérkyra ist –, kann mehrere Sehenswürdigkeiten der Stadt kostenlos besuchen. Im *Byzantinischen Museum* **(U D1)** (📖 *d1*), im *Alten Palast* **(U F2)** (📖 *f2*) und in der *Alten Festung* **(U C5–6)** (📖 *c5–6*) ist der Eintritt frei: an allen Sonntagen im Winter sowie am ersten Sonntag im April, Mai und Oktober, an allen Feiertagen, am 6. März, am letzten Septemberwochenende, am Welt-Museumstag im Mai, am Welt-Denkmaltag am 18. April und am Welt-Umwelttag am 5. Juni.

▶ Fast Food gefällig? Das größte Angebot gibt es an der Esplanade **(U E–F4)** (📖 *e–f4*) am westlichen Ende der Odós Dousmáni; typische Gýros-Grillstuben vor allem in den Parallelgassen zur Odós Zaitsianoú nahe dem Alten Hafen **(U C2)** (📖 *c2*).

40   www.marcopolo.de/korfu

STADT KORFU

MON REPOS ★ (127 E6) (*D5*)
Das kleine Schloss in einem großen, teilweise verwilderten Park hat eine bewegte Geschichte hinter sich. Der britische Lord High Commissioner Sir Frederick Adam ließ es sich als private Residenz bauen, 1864 ging es in den Besitz des griechischen Königshauses über. 1921 wurde hier Prinz Philip, der Gemahl von Königin Elizabeth II., geboren. Das Schloss dient seit 2001 als Museum für die Geschichte von Paleópolis.
Ein etwa INSIDER TIPP 10-minütiger Spaziergang durch den tropisch anmutenden Park mit seinen alten Bäumen führt zum idyllischen ● *Doric Temple* aus dem 5. Jh. v. Chr. am Ende des entsprechend ausgeschilderten Wegs. Mutige können hier über die Mauer klettern und außen an der Mauer entlang zum Parkeingang zurückkehren. *Park tgl. 8–19 Uhr | Eintritt frei | Museum Di–Fr 8.30–15 Uhr | Eintritt 3 Euro | Eingang an der Haltestelle Paleópolis an der Busstrecke nach Kanóni*

MUSEUM DER ASIATISCHEN KUNST
(U F2) (*f2*)
In zahlreichen Räumen im Alten Palast sind Kunstwerke aus asiatischen Ländern ausgestellt, die ein griechischer Diplomat dem Staat schenkte. Sie stammen vor allem aus Japan, Korea, Indien, Tibet, Thailand, Burma und China. *Tgl. 9–16 | Eintritt 3 Euro, Kombiticket* (s. S. 114)

NEUE FESTUNG (NÉO FROÚRIO)
(U A–B 2–3) (*a–b 2–3*)
Die Neue Festung *(New Fort)* nimmt einen Hügel zwischen dem Alten und dem Neuen Hafen ein. Neu ist sie keineswegs, eben nur jünger als die Alte Festung. Die Venezianer erbauten sie im 16. Jh. Schön ist das Hafentor mit einem großen Relief des Markuslöwen. Beeindruckend sind die langen, dunklen Gänge innerhalb der Burg. Vom Dach der Zitadelle hat man einen guten Rundblick. Eine Ausstellung illustriert die Geschichte korfiotischer Keramik von der Antike bis heute. *Juni–Sept. tgl. 9–22, sonst Mi–So 9–17 Uhr | Eintritt 3 Euro | Eingang Odós Solomú*

Tropisches Grün – im Park des Schlösschens Mon Repos

RATHAUS (U D3–4) (*d3–4*)
Das Erdgeschoss des harmonisch gegliederten Gebäudes entstand im späten 17. Jh. als Clubhaus für den venezianischen Adel. 1720 wurde es zu einem Theater umgebaut, 1903 dann zum Rathaus. *Keine Innenbesichtigung möglich | Platía Dimarchíu*

RÖMISCH-KATHOLISCHE KATHEDRALE AGÍU IAKÓVU KE CHRISTOPHÓRU
(U E4) (*e4*)

Die Kirche mit klassizistischer Fassade stammt aus dem Jahr 1553, wurde 1658 stark verändert und 1943 durch deutsche Brandbomben teilweise zerstört. Erst 1970 konnte sie erneut geweiht werden. *Tagsüber meist geöffnet | Messe Juni–Sept. tgl. 19, So 10.30 und 19, Okt.–Mai So 8.30, 10 und 18 Uhr | Platía Dimarchíu*

SCHULENBURG-DENKMAL
(U F4) (*f4*)

Nahe der Brücke über den Contrafossa, die in die Alte Festung hineinführt, steht ein barockes Denkmal für Graf Johann Matthias von der Schulenburg, der im Dienst Venedigs Korfu 1716 erfolgreich gegen die Türken verteidigte. *Spianáda*

STÄDTISCHE PINAKOTHEK
(U F2) (*f2*)

Die in zwei Seitenflügeln des Alten Palasts untergebrachte Gemäldesammlung zeigt Werke überwiegend korfiotischer Maler des 19./20. Jhs. *Sommer Di–So 10–15, Winter Di/Mi, Fr–So 10–15 Uhr | Eintritt je 1 Euro*

VÍDOS (127 E5) (*D5*)

Die üppig begrünte Insel dicht vor der Stadt ist ideal für Spaziergänge. Außerdem finden Sie hier kleine, vor allem von Einheimischen frequentierte Kiesstrände. Ein Mausoleum erinnert an die während des Ersten Weltkriegs auf Korfu ums Leben gekommenen Soldaten der serbischen Armee *(kleine Personenfähren fahren im Sommer tgl. 10–24 Uhr zu jeder vollen Stunde vom Anleger am Alten Hafen aus nach Vídos hinüber | Preis 2 Euro hin und zurück)*.

● Etwa 40-minütige Fahrten rund um die Insel unternimmt die *Calypso Star (stündlich 10–18 Uhr | Abfahrt vom Alten Hafen am selben Anleger | Preis 14 Euro)*. Das Besondere daran: Sie können im Rumpf des Schiffes stehen und durch große Fenster die Unterwasserwelt betrachten.

Stimmungsvoll ist es abends an der Esplanade von Kérkyra

STADT KORFU

ESSEN & TRINKEN

AEGLI (U E2) (*e2*)
Klassisches Restaurant und Café direkt an der Esplanade mit Tischen drinnen und draußen. Internationale und griechische Küche und ein gut Deutsch sprechender Geschäftsführer, der als deutscher Honorarkonsul auf der Insel an einem guten Ruf interessiert ist. *Tgl. ab 10 Uhr | €€€*

INSIDER TIPP BELLISSIMO
(U D3) (*d3*)
Vater Kóstas und Sohn Stávros sind für den Service zuständig, Ánna und Dóra stehen in der Küche. Außer *gýros* und Fleisch vom Grill gibt es täglich fünf bis sechs wechselnde hausgemachte Tagesgerichte. Ein Gedicht: die mit Mangold, Minze, Lauchzwiebeln, etwas Käse und Fenchel aus hausgemachtem Teig zubereiteten Strudelteigtaschen *spanakópitta!* Serviert wird auf einem hübschen, neu gestalteten Platz. *Mo–Sa, im Aug. auch So abends | Odós D. Bitzárou Kyriakí | Zugang zwischen den Häusern 67 und 69 in der Odós N. Theotóki | €€*

INSIDER TIPP DIMARCHÍO
(U E4) (*e4*)
Der Trumpf des feinen Restaurants ist sein großes Areal direkt auf dem Rathausplatz, der ein wenig an Venedig erinnert. Griechische und mediterrane Küche, köstliche Fischgerichte mit festen Portionspreisen. *Tgl. | Platía Dimarchíu/Ecke Odós Guilford | €€€*

EKTÓS SKÉDIO (U C2) (*c2*)
Bei Einheimischen ganzjährig beliebtes *tsipourádiko*. Wie dieser Name besagt, legt man hier viel Wert auf guten Tresterschnaps *(tsípouro)*. Andere Getränke gibt es auch – und dazu eine Riesenauswahl an griechischen Spezialitäten in kleinen Portionen zur Eigenkomposition. Urlauber sind willkommen, werden aber nicht umworben. Hier treffen sich vor allem die jungen, etwas besser gestellten Korfioten. Entsprechend herrscht meist auch erst nach 22 Uhr viel Leben. *Mo–Sa nur abends | Odós Prossaléndiou 43 | hinter dem Gericht | €€*

NUEVO LOUNGE ● (U E3) (*e3*)
Lounge, Café und Restaurant. Sie erhalten hier ein gutes Frühstück, Pasta, Salate, kalte und warme Kleinigkeiten sowie eine internationale Küche. Mittags treffen sich Korfioten hier auch geschäftlich, abends ist die Lounge der richtige Auftakt für eine lange Nacht. *Tgl. | Odós Kapodistríu 32 | €€€*

OLD FORTRESS CAFÉ ★ (U C6) (*c6*)
Das moderne Café in der Alten Festung ist ein stimmungsvoller Platz, um auf historischem Boden exzellente griechische Weine, internationale Biere, Cocktails oder *tsípouro* (Tresterschnaps) zu trinken. Dazu werden z. B. Omeletts, Salate oder eine Platte mit gemischten Vorspeisen, *pikilíes*, serviert. Abends finden manchmal Konzerte statt. *Tgl. | im Alten Fort | Zutritt während der offiziellen Öffnungszeiten der Festung (s. S. 34) nur mit Eintrittskarte, danach kostenlos | €€€*

INSIDER TIPP PÉRGOLA ◎
(U C3) (*c3*)
In der unscheinbaren Taverne serviert Inhaber Sákis beste griechische Kost, leicht moussierenden Weißwein aus dem Festlandsdorf Zítsa und einen exzellenten Tresterschnaps. Ein Gedicht sind seine gefüllten und mit Käse überbackenen Auberginen und sein Wildblattsalat *tsigarélli*. *Tgl. | Odós Agías Sofías 10 | €€*

ROÚVAS (U C4) (*c4*)
Das Lokal ohne Außenplätze ist eine typische Markttaverne. Hier können Sie

noch in die Töpfe schauen und gekochte Gerichte essen. Die Salate sind knackfrisch, Gemüse und Fleisch kommen vom Markt. Unter den Gästen befinden sich meist viele Marktbeschicker – die wissen, was Qualität ist. *Mo–Sa 9–17 Uhr | Odós Dessíla 13 | €*

INSIDER TIPP TABERNITA MEXICANA
(U B3) (*m b3*)

Tische und Stühle dieser Taverne stehen in weitem Abstand auf mehreren kleinen Terrassen und auf Rasenflächen im Garten, manche in der Sonne, andere unter schattigen Bäumen. Das griechisch-kanadische Inhaberpaar setzt auf gute Steaks und mexikanische Küche, bietet auch Pizza und griechische Gerichte. Gäste sind aber auch für einen Kaffee, Cocktails und diverse Tequila-Varianten willkommen. *Tgl. | Odós Solomoú 31 | nahe dem Eingang zur Neuen Festung | €€*

TO PARADOSIAKÓN (U C2) (*m c2*)

Einfaches Restaurant mit unaufdringlichem, freundlichem Service durch die jungen Inhaber. Gut für ein schnelles Mittagessen, freier Blick in die Küche. *Tgl. | Odós Solomú 20 | €€€*

EINKAUFEN

Die Haupteinkaufsstraßen sind die Odós Vulgaréos in der Altstadt und ihre Fortsetzung in der Neustadt sowie die ● Odós N. Theotóki mit ihren schönen Arkaden. Moderne Läden, etwa für Technik und Multimedia, finden Sie in der Odós Aléxandras, die von der Platía G. Theotóki (Sarocco Square) ans Meer hinabführt. Kunstgewerbe und Souvenirs gibt es in den Altstadtgassen Odós N. Theotóki, Odós Filarmonikís und Odós Filéllinon. Viele kleine Geschäfte gibt es auch in der Odós Ag. Sofías im alten jüdischen Viertel.

INSIDER TIPP BY TOM ● ☺
(U C2) (*m c2*)

Urige Werkstatt des Olivenholzschnitzers Thomás Koumarákos, der noch nach ganz traditionellen Methoden arbeitet. Thomás, der seinen Beruf seit 1969 mit Leib und Seele ausübt, arbeitet auch gern binnen kürzester Zeit und ausgesprochen preisgünstig Artikel nach Vorstellungen und Vorlagen seiner Kundschaft, der er auch gern seine vielen Hundert Werkzeuge demonstriert. *Parodós N. Theotóki 3i | Zugang zwischen den Häusern 81 und 83 der Odós N. Theotóki*

LALAOÚNIS (U E3) (*m e3*)

Griechenlands renommiertester Juwelier unterhält nicht nur in New York und auf den Virgin Islands eine Filiale, sondern auch in der Altstadt von Korfu. *Odós Kapodistríu 35 | an der Nordwestecke der Arkaden an der Esplanade*

ROLÁNDOS (U C2) (*m c2*)

Schmuck des jungen Inhabers Rolándos Rodítis und Malereien seiner Mutter Marie, zum Teil auf alten Schiffsplanken. Dazu auch Keramiken aus dem Dorf Kinopiástes. *Odós N. Theotóki 99*

SEIFENMANUFAKTUR PATOÚNIS ●
(U A6) (*m a6*)

In der über 100 Jahre alten Seifensiederei können Sie zusehen, wie traditionelle Olivenölseife entsteht, und sie auch in schönen Verpackungen erwerben. *Mo–Sa 9–14, Di, Do, Fr auch 18–21 Uhr, Führungen nach tel. Voranmeldung tgl. 12 Uhr | Tel. 26 61 03 98 06 | Odós I. Theotóki 9 | www.patounis.gr*

VASSILÁKIS ★ ● (U E2) (*m e2*)

Das Stadtgeschäft der größten korfiotischen Destillerie bietet Koum-Kouát-Likör in vielen Variationen, aber auch andere Liköre, Ouzo und Brandys. Na-

STADT KORFU

türlich kann man die Getränke vor dem Kauf auch verkosten. Neueste Kreation ist ein Eau de Toilette mit Koum-Kouát-Note. *Tgl. 8–24 Uhr | Odós Spirídonos 61*

VELVET (U D3) (🗺 d3)
Damenmode griechischer Designer ist auf Korfu kaum zu finden. Zumindest hier aber sind einige wenige von ihnen vertreten, insbesondere die Label Veloudákis und Zinás. *Odós N. Theotóki 42*

SPORT & STRÄNDE
Den einzigen kleinen Strand im Stadtgebiet bietet das Strandbad **INSIDER TIPP** *Mon Repos* (127 E6) (🗺 D5) *(tgl. ab 8 Uhr | Eintritt 1,50 Euro)* unterhalb des gleichnamigen Schlosses mit einem beliebten *Kafeníon*. Über Einstiegshilfen gelangen Sie im Strandbad *Alékos Beach* (U F1) (🗺 f1) *(tgl. 8–20 Uhr | Eintritt 1,50 Euro)* auf dem Faliráki-

Bei Vassilákis in Kérkyra sind nicht nur in hübsche Flaschen abgefüllte Liköre eine Attraktion

WOCHENMARKT ★ ⊙ (U B4) (🗺 b4)
Ein echter Markt! Hier werden keine Souvenirs verkauft, sondern das, was die Einheimischen täglich brauchen: frischer Fisch und Hülsenfrüchte, Nüsse, Obst und Gemüse, Kräuter und Blumen. Zwischen den Ständen gibt es kleine Kaffeehäuser, deren Wirte den Mokka auch zu den Händlern tragen; Losverkäufer versprechen große Gewinnchancen. *Mo–Sa 7–14 Uhr | im Wallgraben unterhalb der Odós Sp. Vlaíkoj*

Landvorsprung ins Wasser. Ein Wassersportzentrum und vier Bowlingbahnen befinden sich im *Holiday Palace (Tel. 26 61 03 65 40)* neben dem Aussichtspunkt Kanóni.

AM ABEND

CASINO (127 E6) (🗺 D5)
Roulette, Blackjack und Automaten. *Tgl. | Eintritt 7 Euro | Hotel Holiday Palace | Kanóni | www.casinocorfu.gr*

45

CAVALIERI ROOF GARDEN ★ ☼
(U E5) (📕 e5)
Vom **INSIDER TIPP** Dachgarten des Hotels Cavalieri (Lift) haben Sie eine gute Aussicht über die Stadt und die Insel bis hinüber zu den albanischen Bergen. Serviert werden neben Cocktails und Getränken aller Art auch Eisbecher, Apfel- und Zitronenkuchen, Lasagne und mit Käse und Pilzen gefüllte Crêpes. Besonders lecker: der mit Pflaumen und Äpfeln gefüllte Schweinebraten. *Tgl. (kein Zutritt in kurzen Hosen) | Odós Kapodistríu 4 | €€€*

DISCO-TOUR ● (127 E5) (📕 D5)
Korfus junges Nightlife-Viertel sind die Uferstraße auf Höhe des Fährhafens und das sich daran anschließende erste Stück der Schnellstraße Richtung Kontokáli. Da reiht sich Club an Club. Sie öffnen selten vor 23 Uhr. Eintritt wird meist nur bei Liveevents oder Auftritten von Gast-DJs verlangt. Longdrinks kosten zwischen 7 und 10 Euro. Der Zutritt unter 17 Jahren ist verboten. Angesagte Diskos sind an der Straße nach Kontokáli die unmittelbar nebeneinander gelegenen, an Athener Vorbildern orientierten Clubs *Club 54* und (überwiegend House, R & B, griechischer Pop), das wesentlich jünger orientierte *Au Bar (Eintritt je 12 Euro)* bietet mehr griechische Musik, und das *Thalassiés Chántres*, wo viele gern den letzten Drink nehmen, fast nur griechischen Rock und Pop.

ÜBERNACHTEN

BELLA VENEZIA ★ (U D5) (📕 d5)
Stimmungsvolles Hotel in einem klassizistischen Bau des 19. Jhs., der zuvor als Bank und als Mädchenschule diente. Jedes Zimmer ist anders geschnitten, die meisten haben kleine Balkons. Das Frühstück wird im Gartenpavillon serviert, die kleine Bar gleich gegenüber der Lobby ist Treff zum Aperitif und zum Nightcup in fast familiärer Atmosphäre. *32 Zi. | Odós Zambelíu 4 | Tel. 26 61 04 65 00 | www.bellaveneziahotel.com | €€€*

INSIDER TIPP CAVALIERI (U E5) (📕 e5)
Stilvolles Hotel in einem venezianischen Palazzo am Ende der Esplanade. *48 Zi. | Odós Kapodistríu 4 | Tel. 26 61 03 90 41 | www.cavalieri-hotel.com | €€€*

CORFU PALACE (U B6) (📕 b6)
Luxushotel nahe der Altstadt und dem Meer mit Meerwasserpool, Kinderbecken und Hallenbad. Zu den Stränden geht's per Taxi oder Linienbus. *106 Zi. | Leofóros Dimokratías 2 | Tel. 26 61 03 94 85 | www.corfupalace.com | €€€*

HERMES (U C4) (📕 c4)
Einfach, aber zentral am Markt unterhalb der Neuen Festung. *32 Zi. | Odós G. Markorá 12–14 | Tel. 26 61 03 92 68 | www.hermes-hotel.gr | €*

INSIDER TIPP KONSTANTINOÚPOLIS (U C1) (📕 c1)
Freundliches Hotel in den fünf Etagen eines 1861 erbauten Hauses direkt am Alten Hafen. Die Rezeption liegt ebenso wie der Frühstücksraum im ersten Stock, dazwischen erinnert die kleine Lobby an den Salon eines gutbürgerlichen korfiotischen Hauses. Der Hotelfahrstuhl hat sich trotz seines beträchtlichen Alters bisher immer als vertrauenswürdig erwiesen. *34 Zi. | Odós K. Zavitsianoú 11 | Tel. 26 61 04 87 16 | www.konstantinoupolis.com.gr | €€*

AUSKUNFT

TOURIST-INFORMATION
(127 E6) (📕 D5)
Die Auskunftsstelle ist nur sporadisch in der Ankunftshalle des Flughafens wäh-

STADT KORFU

Achíllion: berühmteste Sehenswürdigkeit Korfus und Refugium kaiserlicher Majestäten

rend des Sommerhalbjahrs besetzt, keine telefonischen Auskünfte oder schriftlichen Anfragen.

ZIEL IN DER UMGEBUNG

ACHÍLLION ⭐ (128 B2) (*D6*)
Korfus beliebtestes Ausflugsziel ist ein kleines Schloss hoch über der Ostküste inmitten eines großartigen Parks mit vielen Skulpturen. Kaiserin Elisabeth von Österreich (1837–98), besser bekannt als Sisi, ließ es erbauen und kam ab 1891 bis zu ihrer Ermordung in Genf mehrfach hierher. 1907 kaufte der deutsche Kaiser Wilhelm II. das Anwesen und verbrachte dort alljährlich die Osterzeit. Der Lieblingsheld beider Majestäten war der antike, sagenhafte Achill. Beide setzten ihm im Schlosspark ganz unterschiedliche Denkmäler: Die melancholische Österreicherin liebte den „Sterbenden Achill" mit einem Pfeil in der Ferse, der Preuße schätzte den „Siegreichen Achill" mit Schild und Lanze. Auf der oberen Terrasse des Schlossparks stehen weitere Statuen, die die Musen verkörpern, und viele Büsten antiker Philosophen.

Im Innern des Achíllion können Sie das Erdgeschoss mit einem prächtig ausgemalten Treppenhaus, der Schlosskapelle und mehreren Räumen, in denen Möbel, Gemälde und andere Dinge an die kaiserlichen Hoheiten erinnern, besichtigen. Besonders kurios: der Schreibtischstuhl Kaiser Wilhelms in Gestalt eines Pferdesattels, der wie ein Schaukelpferd schwingt. *April–Okt. tgl. 8–20, sonst Di–So 8.45–15.30 Uhr | Eintritt 7 Euro*
Dem Achíllion gegenüber dürfen Sie die Weine und Liköre der Destillerie *Vassilákis* verkosten. *Linienbusse zum Achíllion fahren vier- bis sechsmal tgl., in der Hauptsaison auch häufiger, vom San-Rocco-Platz aus ab (Linie 10), Fahrkarten auch für die Rückfahrt schon vorher am Busbahnhof oder am Kiosk kaufen, kein Ticketverkauf im Bus | 8 km von Kérkyra*

DER NORDEN

Zwischen Paleokastrítsa und Kassiópi, den wohl schönsten Küstenorten der Insel, zieht sich ein mächtiges Gebirge quer über Korfu. Seine höchste Erhebung ist der Pantokrátor, der sich in seinen oberen Regionen ganz alpin gibt.
Serpentinenreiche Straßen führen zu stillen Bergdörfern, raue Pisten fordern Jeepfahrer und Mountainbiker heraus. Im Nordwesten ist die Landschaft lieblicher, liegen viele alte Dörfer in Olivenwäldern. Hier verkaufen Kräuterhändler ihre Waren, Wein kann direkt an der Straße verkostet werden. Panoramarestaurants und eine mittelalterliche Burg bieten grandiose Ausblicke. Auch Strände gibt es für jeden Geschmack: kilometerlange Feinsandbänder vor flachem Hinterland oder Steilklippen, kleine Kiesbuchten, oft nur per Boot (ohne Führerschein zu mieten) erreichbar, und glatte Kreidefelsschollen, die ein wenig Kraxelei erfordern. In urigen Kaffeehäusern und auf idyllischen Dorfplätzen lässt sich gut eine Pause einlegen und mit Einheimischen ins Gespräch kommen.

ACHARÁVI & RÓDA

(126–127 C–D 1–2) *(ᗰ C2)* **Acharávi (650 Ew.) und Róda (370 Ew.) an der Nordküste Korfus liegen zwar 3 km auseinander, sind aber durch einen gemeinsamen, 6 km langen Strand miteinander verbunden.**

Bild: Steilküste bei Sidári

Lange Strände und der höchste Berg – im Norden zeigt Korfu seine beeindruckende Vielfalt am deutlichsten

Acharávi war ursprünglich ein Binnendorf, dessen historischer Ortskern 500 m landeinwärts liegt; Ródas alter Ortskern ist direkt am Ufer zu finden. Heute sind beide Weiler im Sommer betriebsame Ferienorte. Acharávi hat mehr Geschäfte, Tavernen und Hotels höherer Kategorien; Ródas Vorzug ist die – wenn auch sehr kurze – Uferpromenade direkt am Meer. Straßennamen fehlen wie so oft in Griechenland in beiden Orten. In Róda ist die Orientierung ganz einfach, denn alles Wesentliche konzentriert sich auf die Uferstraße und das kurze Stück, das sie mit der Inselrundstraße verbindet. In Acharávi kann der unscheinbare Kreisverkehr (Rondell) im Verlauf der Inselrundstraße als Orientierung dienen – dort beginnt auch die alte Hauptstraße durch den alten Ortskern.

SEHENSWERTES

RÖMISCHE THERMEN
1985 legten Archäologen die kümmerlichen Reste eines römischen Thermal-

ACHARÁVI & RÓDA

Noch ist nicht Saison – aber am Strand von Acharávi finden Sie auch dann noch Platz

bads frei. Für Fachleute gerade noch zu erkennen sind einige Hypokaustenpfeiler, die den Fußboden trugen. Dazwischen wurde in einem Brennofen erzeugte Heißluft geleitet – eine frühe Form unserer heutigen Fußbodenheizung. *Frei einsehbar | Acharávi | links an der Hauptstr. Richtung Róda*

ESSEN & TRINKEN

INSIDER TIPP LEMON GARDEN

Im ungewöhnlichsten Lokal des Inselnordens treffen sich Gäste jeden Alters und ganze Familien unter alten Zitronenbäumen oder unter einem wohlriechenden Holzdach traditioneller korfiotischer Art zum Frühstück, auf einen Drink oder zum Essen. Im Garten werden Fleisch und frischer Fisch gegrillt, sodass Sie sich fast wie auf einer privaten Gartenparty fühlen. Viele Produkte stammen aus eigener Herstellung: so der Strudelteig, der Limoncello und die Zitronenmarmelade. *Acharávi | an der Hauptstr. 50 m westlich vom Rondell | €€*

PÁNGALOS

Auf der Terrasse des ehemaligen, über 175 Jahre alten Lagerhauses sitzen Sie direkt am Meer. Schöner gelegen ist kein anderes Lokal in Róda, die Essensqualität ist aber auch hier wie fast überall im Ort eher durchschnittlich. *Tgl. ab 10 Uhr | Róda | an der Uferstr. im Ortszentrum | €€*

PUMPHOUSE

Echtes Restaurant mit Stofftischdecken, Teelichtschein, frischen Blumen auf den Tischen und Easy-Listening-Musik im Hintergrund. Dazu vielsprachiger, schneller und höflicher Service sowie eine exzellente Küche. Zu vielen Gerichten werden leckere Kartoffeln vom Backblech serviert, hervorragend das gut gewürzte *tas kebab*, eine Art Gulasch mit drei Sorten Fleisch. Große Portionen. *Tgl. ab 17 Uhr | Acharávi | am Rondell | €€€*

DER NORDEN

EINKAUFEN

OLIVE WOOD 🌿
Große Auswahl an von Inhaber Polychrónis selbst gedrechselten Olivenholzobjekten, charmant präsentiert von seiner niederländischen Frau Paulien. *An der Straße vom Dímitra-Supermarkt zum Strand*

SPORT & STRÄNDE

Ein über 6 km langer, überwiegend feinsandiger, stellenweise mit Kies durchsetzter Strand beginnt in Róda, führt an Acharávi entlang und setzt sich als *Almirós Beach* bis zur kleinen Insel *Agía Ekateríni* fort, zu erreichen über eine Fußgängerbrücke. Ein Feldweg führt in etwa 30 Gehminuten über die Insel bis nach *Ágios Spirídonas*, von wo aus Sie nach weiteren 15 Gehminuten auf Asphalt die Inselrundstraße erreichen. Dort können Sie einen Bus zurück nach Acharávi oder Róda besteigen.

Geführte zweistündige Reittouren werden täglich um 9, 11, 17 und 19 Uhr in Róda angeboten. Die Pferde stehen auf einem Feld an der Verbindungsstraße zwischen Inselrundstraße und Uferpromenade. Und Wassersportstationen finden Sie am Hafen von Róda sowie vor den großen Hotels in Acharávi.

AM ABEND

ALÉXANDROS
Zweimal wöchentlich bietet die familiär geführte Taverne direkt an der schmalen Uferstraße von Róda griechische Folkloreabende an, die äußerst effektvoll inszeniert werden. Da entsteigen die Volkstänzer sogar dem Meer, und häufig tanzen viele Urlauber zum Schluss am Strand mit. *Di, Fr | Róda | Uferstr. im Ortszentrum | €€*

HARRY'S BAR
Schon seit 1981 kümmert sich Harry sehr engagiert um seine Gäste und fördert die Kommunikation zum günstigen Preis. Alle sportlichen Großereignisse sind auf Großbildschirmen live mitzuerleben. *Acharávi | am östlichen Ende der alten Dorfstr. | www.harrysbar-apartments.gr*

VEGGERA BEACH BAR
Loungeatmosphäre herrscht zwischen Kakteen und Agaven in der Beachbar, die abends zum Mekka für Sonnenuntergangssüchtige avanciert. *Acharávi | Zufahrt an der Hauptstr. vom Reisebüro EuroHire aus*

MARCO POLO HIGHLIGHTS

⭐ **Paleó Períthia**
Ein Dorf wie in venezianischen Zeiten → S. 54

⭐ **Canal d'Amour**
Der Legende nach können sich hier Frauen schwimmend einen Mann wünschen → S. 55

⭐ **Kap Drástis**
Erst ein traumhafter Blick, dann ein erfrischendes Bad → S. 57

⭐ **Kloster Panagía Theotóku tis Paleokastrítsas**
Korfus schönstes Männerkloster → S. 64

⭐ **Golden Fox**
Übernachten mit himmlischer Aussicht → S. 66

⭐ **Angelókastro**
Romantische Burgruine hoch über einer wilden Küstenszenerie → S. 66

ACHARÁVI & RÓDA

ÜBERNACHTEN

ACHARÁVI BEACH
Strandhotel aus fünf ein- und zweigeschossigen Gebäuden. Zwischen dem Hotel und dem feinsandigen Strand liegen Beachbar und Pool. Oleanderhecken, Zitronenbäume und Palmen zieren den Garten. *97 Zi. und Apts. | Acharávi | östlich des Rondells | Tel. 26 63 06 31 02 | www.acharavibeach.com | €€*

GELÍNA VILLAGE
Weitläufige All-inclusive-Anlage neben einem großen Spaßbad direkt am Strand. Viele Sportangebote, Open-Air-Kino, Wellnesszentrum mit Hallenbad. *281 Studios und Apts. | am östlichen Ortsrand von Acharávi | Tel. 26 63 06 40 00 | www.gelinavillage.gr | €€€*

INSIDER TIPP RÓDA INN
Das einfache Hotel mit einem guten Preis-Leistungs-Verhältnis liegt an der wenig befahrenen Uferstraße von Róda, nur 10 m vom Sandstrand entfernt. Die sehr freundliche Inhaberin Helen lebt im Winter in Kanada und spricht exzellent Englisch, die meisten Stammgäste sind Briten im Rentenalter. *25 Zi. | Róda | Tel. 26 63 06 33 58 | €*

SAINT GEORGE'S BAY COUNTRY CLUB ● 🙂
Dieses Strandhotel ist ein Musterbeispiel für beste Anpassung an Natur und Geschichte des Standorts. In der weitläufigen Anlage verteilen sich 70 Apartments mit Platz für bis zu vier Personen auf eine große Zahl individuell gestalteter zweistöckiger Häuser im alten Inselstil. Hier fühlen Sie sich fast wie in einem korfiotischen Dorf und genießen dennoch viel Komfort. Dazu gehören auch zwei Tennisplätze mit Flutlicht, ein Clubhaus mit Restaurant, ein Wellnessbereich und ein großer Pool. *Acharávi | östlich des Rondells | Tel. 26 63 06 32 03 | www.stgeorgesbay.com | €€€*

TOURISTIC-ATELIER
Ferienwohnungen und -häuser in Acharávi vermittelt das deutschsprachige Reisebüro von Frau Élena Vláchou an der Stichstraße, die zum Hotel Ionian Princess führt. *Tel. 26 63 06 35 24 | in Deutschland buchbar über: Acharavi Travel (Waldenburger Str. 2 | 51643 Gummersbach | Tel. 0 22 61 6 34 60 | www.acharavi.de)*

LOW BUDG€T

▶ Günstig wohnen: Einfach, aber geräumig sind die zehn Apartments, die Harry's Bar (s. S. 51) in Acharávi **(127 D1)** (*C2*) vermietet. *Tel. 26 63 06 30 38, Handy 69 74 91 66 37 | Studios ab 25 Euro | www.harrysbar-apartments.gr*

▶ Billiger baden: Im Spaßbad *Hydropolis (s. S. 107)* bei Acharávi **(127 D1)** (*C2*) gelten ab 17 Uhr ermäßigte Eintrittspreise. Erwachsene zahlen dann nur noch 11 Euro, Kinder (5–12 Jahre) nur noch 7 Euro

ZIELE IN DER UMGEBUNG

AGÍA EKATERÍNI (127 D1) (*C2*)
Den nordöstlichsten Zipfel Korfus bildet die kleine, teils von Farnkraut überwucherte oder mit Kiefern, Zypressen und Eukalyptusbäumen bestandene Insel *Agía Ekateríni*. Landseitig wird sie vom fischreichen Brackwassersee *Antoniótis* und seinen beiden Verbindungsarmen zum Meer umschlossen. Brücken führen hinüber; die nach Acharávi kann nur von

DER NORDEN

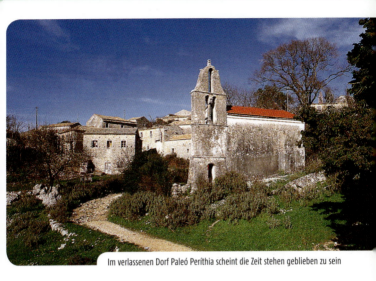

Im verlassenen Dorf Paleó Períthia scheint die Zeit stehen geblieben zu sein

Fußgängern, Rad- und Mopedfahrern passiert werden, die nach Ágios Spirídonas auch von Pkws.

Auf der Insel steht im Wald versteckt das verlassene *Kloster Agía Ekateríni* (auch *Ayía Aikateríni* geschrieben) aus dem Jahr 1713, das aber den Besuch kaum lohnt. Wer es dennoch erkunden will, verlässt den befahrbaren Feldweg dort, wo er in den Wald eintritt, und geht zwei Minuten geradeaus weiter.

Stichwege führen außerdem vom Hauptweg zu kleinen, kaum besuchten Kiesbuchten, in denen auch nackt gebadet wird. Schöner zum Baden ist jedoch der etwa 100 m lange INSIDER TIPP *Sandstrand Ágios Spirídonas,* der sehr sanft ins Wasser abfällt und auch für Kleinkinder gut geeignet ist. Direkt am Strand stehen eine neuere, belanglose Kapelle und die Taverne *Lagoon (tgl. | €€)*, die frischen Fisch anbietet. *8 km von Archarávi*

ASTRAKÉRI (126 C1) (*m B2*)

Der winzige Weiler mit verstreut im Olivenwald stehenden Häusern und einem langen Grobsandstrand ist wegen der nur 20 m vom Meer entfernten Taverne INSIDER TIPP *Gregóris (ausgeschildert | €€)* bekannt. Die lebenden, von den Wirten teils selbst gefangenen Langusten sind günstiger als anderswo. *6 km von Róda*

NÍMFES (126 C2) (*m C3*)

Die INSIDER TIPP *Evstrámenou-Kirche* am Dorfrand von Nímfes ist weltweit einzigartig und gibt den Wissenschaftlern ein Rätsel auf, ist jedoch nur von außen zu besichtigen. Über einem sechseckigen Grundriss erhebt sich eine Kuppel wie bei ceylonesischen Dagobas, einer buddhistischen Tempelform. Ihr ist noch einmal eine sechseckige Laterne mit sechs Fenstern aufgesetzt. Die Kirche stammt wahrscheinlich aus dem 18. Jh., der weiße Vorbau mit viereckiger Laterne und Glockenträger wurde erst 1860 angefügt. Das Ortszentrum liegt am anderen Ende des Dorfs am Rande eines Tals, in dem zahlreiche Koum-Kouát-Bäume wachsen. Die einfachen Taver-

ACHARÁVI & RÓDA

nen (€) hier servieren außer im August nur abends Essen. *Links der Straße von Plátonas nach Nímfes (ausgeschildert)*

PALEÓ PERÍTHIA ★ (127 E2) (*D3*)
Paleó Períthia gleicht einem Museumsdorf aus venezianischen Zeiten. In einem fruchtbaren Hochtal unterhalb des Pantokrátors gelegen, war es in früheren Zeiten durchaus wohlhabend, wie die großen, massiven Steinhäuser und die Kirchen beweisen. Doch seine Bewohner zog es an die Küste hinunter, wo sie *Néa Períthia* (Neu-Períthia) gründeten. Nur ein paar alte Hirten blieben in Alt-Períthia. So geriet der Ort in Vergessenheit und entging dem Betonierungsboom der 1970er- und 80er-Jahre.
Anfang der 90er-Jahre eröffnete dann die erste Taverne, inzwischen sind es sogar schon vier. Bei Einheimischen ist die Taverne *Fóros* am beliebtesten – auch **INSIDER TIPP** wegen ihres exzellenten Walnusskuchens. *Linienbusse nur zwei-* *mal tgl. bis Loútses, von dort 3 km Fußweg | 15 km von Acharávi*

SIDÁRI (126 B1–2) (*B 2*)
Sidári erscheint wie ein Rummelplatz. An der Hauptstraße reihen sich Bars, Reisebüros und Souvenirgeschäfte aneinander; von der einstigen Schönheit des Orts ist nichts mehr zu spüren. Die Dorfsprache ist nur noch im Winter Griechisch, im Sommer wird überall Englisch gesprochen. Rockmusik beschallt die

Sonnenschirme, Liegen und Tretboote können Sie am Strand von Sidári mieten

Pools, und kaum ein Lokal kommt ohne Großbildschirme für Übertragungen von Sportereignissen aus.
Vielleicht möchte nicht jeder in Sidári Urlaub machen, aber eine Fahrt dorthin lohnt sich sehr. Gleich westlich des Bachs, der Sidári vom Gemeindegebiet von Peruládes trennt, beginnt nämlich die beeindruckende helle Klippenküste Korfus, die um das *Kap Drástis* herum bis über den Weiler Peruládes hinausreicht. Am Kap können gute Schwim-

DER NORDEN

mer von glatten Felsen aus ins Wasser steigen, der Liegestuhlvermieter bietet auch INSIDER TIPP kurze Motorbootfahrten entlang der Steilküste an.
In Sídari (400 Ew.) selbst können Sie Taxiboote mieten, um an der Küste entlangzufahren, oder auch Tretboote, um zumindest einen näher gelegenen Teil auf eigene Faust zu entdecken. Wer kein Boot mietet, geht oder fährt am besten von der Brücke über den Bach aus in Richtung Peruládes und zweigt von der kleinen Straße zum Pool-Bar-Restaurant Kahlua am ★ *Canal d'Amour* ab. Hier ist die Steilküste noch nicht schroff und unzugänglich wie weiter westlich, sondern so niedrig, dass auf den Klippen Liegestühle und Sonnenschirme stehen können. Die Klippen säumen kleine Buchten oder Fjorde mit kurzen Sandstränden und sind teilweise unterhöhlt.
8 km von Róda

ÁGIOS GEÓRGIOS, AFIÓNAS & ARILLÁS

(126 A–B 2–3) *(A3)* **Ágios Geórgios Pagón, das zum Binnendorf Pági gehört, und Arillás sind Küstenorte mit langen Sandstränden, Afiónas ist ein kleines Bergdorf auf der Halbinsel, die die beiden Küstenorte voneinander trennt.** Während Ágios Geórgios und Arillás reine Sommersiedlungen sind, hat Afiónas viel ländliche Atmosphäre zu bieten und lohnt daher auch für Inselrundreisende. Größere Sehenswürdigkeiten fehlen in allen drei Orten gänzlich, doch insbesondere die Umgebung von Arillás zieht viele Urlauber zu Yoga und Meditation an.

ESSEN & TRINKEN

DIONYSOS
Eine Taverne mit Panoramaterrasse hoch über der Bucht von Ágios Geórgios. Sehr freundlicher Service. *Bekrí mezé* (eine Art griechisches Gulasch) und Schweinebraten in Weinsoße sind die Spezialitäten des Hauses. *Tgl. | Afiónas | 100 m vom Dorfplatz (dort ausgeschildert, aber nicht mit dem Auto zu erreichen) | €*

EVDAÍMON
Das kleine Restaurant mit grandioser Aussichtsterrasse wird von Jánnis aus Korfu und Evangelía aus Athen mit viel Liebe zum Kochen geführt. Sie verwenden nur frische, überwiegend regionale Produkte, verbinden Tradition mit vielen neuen Ideen. *Tgl. ab 13 Uhr | Afiónas | an der Hauptstr. | €€*

EINKAUFEN

INSIDER TIPP OLIVEN UND MEER
Rainer und Heidi Kalkmann bieten erstklassiges Olivenöl und daraus hergestellte Produkte sowie eigene Kreationen an. So stellen sie Rotweinessig und Olivenpaste her, legen Oliven ein und füllen natives Öl flugzeuggerecht in Dosen ab. Wer mag, kann es sich aber auch vom Fass abzapfen lassen. *So–Fr 10–14 und 15–21, Sa nur 15–21 Uhr | Afiónas | am oberen Rand des Dorfplatzes*

ILIOS LIVING ART
Für Romantiker und Muschelsammler: Bei Schmuckdesigner Alex können Sie sich innerhalb von 40 Minuten Olivenkerne, Fundstücke und Strandgut eigenhändig in Bronze, Silber oder Gold gießen und als ein schönes Andenken an Korfu als Anhänger tragen. *Ágios Geórgios Pagón | an der Straße zum Strand | www.ilios-living-art.com*

ÁGIOS GEÓRGIOS, AFIÓNAS & ARILLÁS

STRÄNDE

Der Sandstrand von Arillás ist über 2500 m lang. Seine südliche Hälfte erstreckt sich unmittelbar vor dem Ort, die nördliche liegt vor der Kliffküste. Im nördlichsten Teil wird textilfrei gebadet. Ein dritter, kleiner Strand liegt südlich, 15 Gehminuten unterhalb von Afiónas.

AM ABEND

Sowohl Diskos wie auch Musikclubs finden Sie in Ágios Geórgios und Arillás. Die Pächter kommen und gehen, die Namen der Lokale wechseln von Jahr zu Jahr.

ÜBERNACHTEN

FERIENHÄUSER, APARTMENTS UND PRIVATZIMMER

Unterkünfte verschiedener Kategorien in der Bucht von Ágios Geórgios können bei zwei Spezialisten für diese Region gebucht werden, die auch ausführliche Prospekte verschicken:
– Korfu Appartements Wolfgang Gaiser (Ágios Geórgios Pagón | Tel. 26 63 05 21 83 | www.korfu-appartements.com)
– Corfelios-Reisen (Raiffeisenstr. 1 | 79379 Mühl-Britzingen | Tel. 07631 17 31 17 | www.corfelios.de)

INSIDER TIPP PANORAMA

Vier Apartments (2–4 Pers.) in Hanglage unterhalb der gleichnamigen Taverne mit einem prächtigen Blick auf Meer, Inseln und Sonnenuntergang sind zu mieten. *Afiónas | an der Hauptstr. | Tel. 26 63 05 18 46 | www.panoramacorfu.com | €*

PÓRTO TIMIÓNI

Zimmer und Studios in grandioser Aussichtslage hoch über der Bucht von Ágios Geórgios, völlig frei von Verkehrslärm. *8 Zi. | Afiónas | Tel. 26 63 05 20 51 | www.korfu-appartements.com | €€*

ZIELE IN DER UMGEBUNG

ÁGIOS STÉFANOS AVLIOTÓN

(126 A2) (*m* A3)

Der Ort ist eine planlose Anhäufung von nichtssagenden Pensionen, Sommerhäusern, Tavernen und Geschäften, der Strand etwa 2 km lang und feinsandig. Surfer mit eigenem Board schätzen die Bucht wegen ihrer teils kräftigen Winde. FKK-Fans treffen sich in der nördlichen

ESOTERISCHE ZENTREN

Mehrere Zentren bieten das ganze Sommerhalbjahr über Kurse, Seminare und Workshops an. Das überwiegend deutschsprachige *Ouranos-Zentrum* (www.ouranos.de) setzt die Schwerpunkte bei Meditations- und Kreativprogrammen, das international ausgerichtete *Alexis-Zorbas-Zentrum* (www.alexiszorbas.de) betont die Körperarbeit. Das richtige Ambiente für Meditationen bietet das ● *Meditationshaus Korfu* (www.zen-im-alltag.de) einer erfahrenen Reiki-Meisterin mit seinen nur zwei Fremdenzimmern in Afiónas. 2013 hinzugekommen ist das *Manto Center* (www.manto-corfu.com) in einer von Künstlern gestalteten Villa in einem 6000 m² großen Garten mit vielen lauschigen Ecken. Yoga und Intensivworkshops werden geboten.

DER NORDEN

Kap Drástis – die Steilküste im Nordwesten ist nur zu Fuß oder per Boot erreichbar

Strandhälfte unterhalb der Steilküste. Unmittelbar im Ortszentrum stellt die Glaskünstlerin Perdita Mouzakíti *(www.perditasglassart.com)* ihre Kunst- und Gebrauchsobjekte aus farbigem Glas aus, ihre Schwester Claudia kümmert sich meist um den Verkauf. Das ausgezeichnete Reisebüro **INSIDERTIPP** *San Stefano Travel (im Ortszentrum | Tel. 26 63 05 19 10)* vermittelt Motorboote bis zu 30 PS, mit denen Sie von Ágios Stéfanos aus entlang der Küste bis zum Kap Drastis fahren können. Ein Bootsführerschein ist dafür nicht nötig. Außerdem bietet das Büro Ausflugsfahrten zu den Inseln Eríkoussa, Mathráki und Othoní an. *1 km von Arillás, 3 km von Ágios Geórgios*

KAP DRÁSTIS ★ ☘
(126 A1) (*m A–B 2*)

Unter den vielen schönen Küstenlandschaften Korfus ist die an der äußersten Nordwestspitze der Insel vielleicht die schönste. Dorthin kommen Sie in etwa 30 Gehminuten auf einem befahrbaren Feldweg. Er beginnt an der Grundschule von Peruládes (dort ausgeschildert). Zunächst steigt er leicht an, dann fällt er wieder zum Meer hin ab, und plötzlich haben Sie das Bilderbuchpanorama der Bucht vor sich: Unterhalb des etwa 100 m hoch aufragenden Kaps bilden Drachenkämmen ähnliche Sandsteinformationen eine kleine Bucht, der eine kleine, an eine Haifischflosse erinnernde Felsinsel vorgelagert ist. Der Weg schlängelt sich nun am Kap vorbei zu dessen Ostseite, wo er vor einer winzigen, von flachen Felsschollen eingefassten Bucht endet. Dort können Sie bei ruhiger See ins Wasser steigen und mit Blick auf die helle Steilküste im glasklaren Wasser schwimmen. *10 km von Arillás*

PERULÁDES (126 A2) (*m A2*)

Das nordwestlichste Dorf Korfus (780 Ew.) besitzt einen faszinierenden

BARBÁTI & NISSÁKI

Strand. Er erstreckt sich lang und schmal zu beiden Seiten des Orts unter hoher Steilküste; ein asphaltierter Fußweg führt von der Bar und dem Restaurant *Panórama (tgl. | €)* aus hinab. Wer die Musik dort nicht schätzt, sitzt besser in der benachbarten Taverne *Sunset (tgl. | €€)*, die auch Zimmer im Ort vermittelt. Im Dorf gibt es nur ein einziges, aber äußerst stilvolles Hotel. Die jungen Geschwister Aléxandros und Lukía betreiben die 200 Jahre alte INSIDERTIPP *Villa de Loulia (9 Zi. | Tel. 26 63 09 53 94 | www.villadeloulia.gr | €€€)* mit Pool im Garten. *8 km von Arillás*

BARBÁTI & NISSÁKI

(127 E3) (*D3*) **Die beiden am Südhang des Pantokrátors liegenden Orte sind trotz der geringen offiziellen Einwohnerzahl (je ca. 150 Ew.) inzwischen recht dicht bebaut. Vor allem an den Hängen von Barbáti reihen sich die Villen und Eigentumswohnungen.**

Hotels stehen hier zwischen der Inselrundstraße und den schroffen Felswänden des Pantokrátor-Massivs, in *Nissáki* zwischen Straße und felsigem Ufer. Entlang der Rundstraße finden Sie einige wenige Tavernen mit schönen Aussichtsterrassen und eine Handvoll Geschäfte.

ESSEN & TRINKEN

MÍTSOS
In der schlichten Taverne auf einer ins Meer hinausgebauten Terrasse zwischen dem Miniaturstrand und dem Miniaturhafen von Nissáki erhalten Sie eine exzellente Zitronentarte. Für den Durchschnittsgeschmack von Pizza, Pasta und anderen Gerichten entschädigt die Lage. *Tgl. | direkt oberhalb des winzigen Parkplatzes am kleinen Hafen von Nissáki | €*

SPORT & STRÄNDE

Barbáti besitzt einen etwa 800 m langen, bis zu 20 m breiten Kies-Stein-Strand, der wegen der zunehmenden Bebauung der aufsteigenden Hänge stark frequentiert ist. Nissáki hat überwiegend felsige Ufer mit winzigen Kiesstränden. Hier herrscht etwas weniger Betrieb. Am Strand von Barbáti gibt es im Hochsommer zwei Wassersportstationen, in Nissáki eine am Sand-Kies-Strand unterhalb des Hotels Sol Nissáki Beach.

ÜBERNACHTEN

INSIDERTIPP LA SERENISSIMA
In einem nach Inselart altrosa gestrichenen venezianischen Landhaus mit nur fünf Zimmern, Pool und Panoramablick hat die Historikerin Dr. Hannelore Stammler 100 m über dem Meer ein stilvolles Hotel eingerichtet, in dem auf Wunsch mittags und abends für Gäste gekocht wird. *Oberhalb der Straße von Pirgí nach Barbáti | Tel. 26 61 09 39 22 | www.residenz-serenissima.de | €€€*

ZIELE IN DER UMGEBUNG

INSIDERTIPP PALEÓ CHORIÓ
(127 E3) (*D3*)
Paleó Chorió ist ein Geisterdorf, in dem erst seit 2000 wieder ein Haus restauriert wurde. Alle anderen sind dachlose Ruinen. Die letzten Bewohner zogen wohl schon vor dem Zweiten Weltkrieg weg. In der leer stehenden alten Dorfkirche sind noch einige Freskenreste erhalten, insbesondere eine schöne Darstellung der zwölf Apostel. Paleó Chorió können Sie nur zu Fuß, mit Enduro, Mountainbike oder Jeep erreichen; für

DER NORDEN

normale Autos ist die Staubstraße zwischen Vinglatúri und dem Pantokrátor unpassierbar. *7 km von Nissáki*

PANTOKRÁTOR ☘ (127 E2) (*m D3*)
Eine Asphaltstraße führt hinauf auf den mit rund 910 m höchsten Berg Korfus. Die Aussicht vom Gipfel ist grandios, reicht bei klarem Winterwetter bis weit nach Albanien und zum griechischen Festland. Auf dem Gipfel duckt sich ein ehemaliges *Kloster (tagsüber zugänglich | Eintritt frei)* aus dem 17. Jh. zwischen zivile und militärische Antennenmasten. Seit 1998 wird es während der Sommermonate wieder bewohnt: im Wechsel von einem der Priester aus den nahen Bergdörfern oder einem Mönch aus einem der korfiotischen Klöster. Seitdem werden auch die Fresken in der Kirche zeitaufwendig gereinigt – manche davon haben schon wieder die alte Farbenpracht des 17. Jhs. Im südlichen Teil des Deckengewölbes erkennt man u. a. Darstellungen der Hadesfahrt Christi, der Verkündigung, Jesu Geburt und des Tempelgangs Jesu. *26 km von Nissáki*

STRINÍLAS (127 D2–3) (*m C3*)
Korfus höchstgelegenes Bergdorf liegt 630 m über dem Meeresspiegel und hat nur 45 Bewohner. Auf dem kleinen Dorfplatz unter der alten Ulme bietet eine Taverne gutes Essen an. *20 km von Nissáki*

KASSIÓPI

(127 E1–2) (*m D2*) **Das große Dorf Kassiópi (1100 Ew.) im Nordosten der Insel liegt an zwei malerischen Buchten gegenüber der albanischen Küste.**
Die östliche Bucht ist ein geschützter Naturhafen für Fischer- und Ausflugsboote sowie Yachten; am Hafenbecken stehen die meisten Bars und Tavernen des Orts. Zwischen beiden Buchten liegt eine kleine, von alten Olivenbäumen bestandene Halbinsel mit von dichtem Grün überwucherten Resten einer venezianischen

Gut besucht ist diese Taverne in Korfus höchstgelegenem Bergdorf Strinílas

KASSIÓPI

Burg. Schon in der römischen Antike war Kassiópi ein Hafenort. Hier warteten Schiffe auf dem Weg von Griechenland nach Italien auf günstiges Wetter für die Überfahrt – und mit ihnen Kaiser Nero oder der Staatsmann Cicero.

SEHENSWERTES

BURG (KASTRO)
In die 1386 von den Venezianern über älteren Mauerresten erbaute Burg wurde in den letzten Jahren Millionenbeträge aus EU-Mitteln investiert. Das von Macchia überwucherte Innere wird jetzt abends elektrisch beleuchtet und durch Feuerschutzeinrichtungen vor dem Abbrennen gesichert. Der Torbau wurde restauriert, die Außenmauern mit insgesamt 13 Türmen stellenweise ausgebessert. Für eine Ausschilderung des Wegs zur Burg und dessen durchgehende Pflasterung war dann kein Geld mehr übrig. *Frei zugänglich | der Fußweg in die Burg beginnt an der Hauptstr. zum Hafen gegenüber der Kirche Panagía Kassiópitra*

KIRCHE PANAGÍA KASSIÓPITRA
Die Kirche aus dem Jahre 1590 steht an der Stelle, an der die Römer 1600 Jahre zuvor einen Tempel für Göttervater Jupiter errichtet hatten. Die Wände des Gotteshauses wurden im 17. Jh. mit Fresken ausgeschmückt, von denen jedoch nur geringe Reste erhalten blieben. Besonders schön ist eine Marienikone von 1670. Sie zeigt groß die thronende Gottesmutter mit dem Jesuskind und darunter die Kirche und die Burg von Kassiópi. *Unregelmäßig geöffnet | Zugang von der Hauptstr. zum Hafen und von der Terrasse der Taverne Three Brothers am Hafen*

ESSEN & TRINKEN

JÁNIS
In der Taverne am Hauptstrand wird bis 15 Uhr englisches Frühstück in vielen Va-

Fischkutter, aber auch viele Jachten gehen im Hafen von Kassiópi vor Anker

DER NORDEN

riationen serviert. Auch sonst ist die Speisekarte überwiegend britisch geprägt. *Tgl. | an der Einmündung der Einbahnstr. vom Hafen auf die Inselrundstr. | €€€*

PÓRTO ✄

Wenn die Sicht nicht gerade von Reisebussen verstellt wird, haben Sie von der Hafentaverne aus einen schönen Blick. Die Auswahl auch an gekochten Gerichten ist groß, die Qualität durchschnittlich. Zu den Spezialitäten des Hauses zählt *galéos bourdéto*. *Tgl. | am Hafen | €€*

STRÄNDE

Ein langer Sandstrand, *Main Beach* genannt, säumt die westliche Bucht von Kassiópi. Rund um die Halbinsel mit der Burg führt in etwa 20 Gehminuten eine Promenade, von der Sie zu winzigen Kiesstränden hinuntersteigen können.

Der schönste Strand von Kassiópi ist der nur etwa 80 m lange *Batería-Strand* an der Spitze der Halbinsel, an dem auch Liegestühle und Sonnenschirme vermietet werden. Östlich der Hafenbucht bietet sich auch die Gelegenheit, von Felsschollen aus zu baden.

AM ABEND

Den Abend verbringt man am schönsten in einer der Bars am Hafen. Um Mitternacht öffnet auf der Südseite des Hafenbeckens die *Disco Passion*, in der oft ein britischer DJ die neuesten Hits auflegt.

ÜBERNACHTEN

Die meisten Unterkünfte in Kassiópi sind fest in der Hand britischer und skandinavischer Reiseveranstalter und stehen dem freien Markt nicht zur Verfügung. Die übrigen Vermieter akzeptieren Gäste nur für mehr als eine Nacht.

Der Batería-Strand ist zwar schmal, doch schön

OÁSIS

Das kleine Hotel über der gleichnamigen, schon 1935 gegründeten Taverne ist die Rettung für alle Rundreisenden, die nur eine Nacht in Kassiópi verbringen wollen. Wer ein Zimmer ohne Aussicht zur Burgseite wählt, schläft sogar ruhig. Privatparkplatz auf der Rückseite des Hauses. Wirtin Lóla Sarakinú und ihr Mann sprechen Deutsch, ihre Tochter Mandi Englisch und Italienisch. *30 Zi. | Odós Kassiopítras 6 | Hauptstr. zum Hafen | Tel. 26 63 08 12 10 | €*

ROOMS ARAKINOÚ

Eine Pension althergebrachter Art mit sehr günstigen Preisen und vielen Stammgästen. Die vier Zimmer und Studios liegen um einen kleinen Innenhof über einer Ladenzeile fast direkt am Hafen. Wirtin Helena kümmert sich herzlich um ihre Gäste. *An der Hauptstr. direkt ge-*

KASSIÓPI

genüber vom Eingang zum Kirchhof | Tel. 26 63 08 12 31 | €

ZIELE IN DER UMGEBUNG

ÁGIOS STÉFANOS SINIÉS
(127 F2) *(E3)*

Von allen Orten Korfus liegt Ágios Stéfanos Siniés (230 Ew.) Albanien am nächsten – Luftlinie rund 2,5 km. In der lang gestreckten Bucht ankern Segler, am Ufer werben mehrere Tavernen um Kunden. Es gibt zwar einige Privatzimmer und Apartments, die aber sind zumeist fest an britische Reiseveranstalter vergeben. Für eine Fahrt entlang der Küste können Sie hier Motorboote ausleihen. *6 km von Kassiópi*

AGNÍ (127 E–F3) *(D–E 3)*

Agní ist eine kleinere stille Bucht mit einem etwa 150 m langen, weißen Kies-Stein-Strand, einigen Privatzimmern und drei Tavernen. Vor den Tavernen führen hölzerne Stege ins Wasser, an denen auch Jachten festmachen können. Alle drei Stege sind gut für frischen Fisch. In der Taverne *Agní (tgl. | €)* stehen besonders viele Gerichte für Vegetarier auf der Karte, originell sind die mit Käse, Knoblauch und Petersilie gefüllten Sardinen *marída jemistá*. In *Toúla's Taverna (tgl. | €)* ist Scampi-Pilaw, *piláfi me garídes*, der große Renner. Ihr Auto sollten Sie unbedingt auf dem Parkplatz am Ortsbeginn parken, denn am Wasser ist oft keine Wendemöglichkeit mehr! *11 km von Kassiópi*

AVLÁKI (127 F2) *(E2)*

Der etwa 500 m lange Kiesstrand von Avláki südöstlich von Kassiópi ist noch fast unverbaut. Hier stehen nur eine Taverne, ein Wassersportzentrum und das moderne Aparthotel *Bella Mare (27 Zi. | Tel. 26 63 08 19 97 | www.belmare.gr | €€€)*. Von Kassiópi aus brauchen Sie zu Fuß rund 25 Minuten dorthin. *2 km von Kassiópi*

KALÁMI (127 F3) *(E3)*

Der winzige Küstenweiler Kalámi wird von einer großen Ferienclubanlage fast erdrückt. Der Besuch lohnt vor allem für Fans von Lawrence Durrells Korfu-Klassiker „Schwarze Oliven" (Originaltitel: „Prospero's Cell"). Die Familie Durrell hat in den 1930er-Jahren in Kalámi gewohnt – in dem großen, weißen Haus am Ufer, dem *White House (Tel. 26 63 09 10 40 | www.white-house-corfu.gr | €)*. Es kann als Ferienhaus mit vier Schlafzimmern, in dem noch der Original-Esstisch der Familie Durrell steht, gemietet werden. Im Erdgeschoss ist jetzt eine gute Taverne *(tgl. | €)* angesiedelt. Der nur 250 m lange Kies-Steinstrand ist relativ klein für die vielen Sommergäste. Von diesem Strand aus kommen Sie jedoch auf einem Trampelpfad zum südlich gelegenen *Gialiskári Beach*, wo nur wenige Menschen am Kiesstrand oder

DER NORDEN

Zu den schönsten Gegenden von Korfu zählen Paleokastrítsa und die benachbarte Küste

auf den ihn flankierenden Felsplatten liegen. Auch Schnorchler finden hier ein interessantes Unterwasserrevier. *11 km von Kassiópi*

KAMINÁKI BEACH (127 E3) (*m D3*)

Der fotogene, aber nur 100 x 15 m große Kies-Steinstrand erstreckt sich vor einer winzigen Küstensiedlung mit zwei Tavernen *(€)* und einer Wassersportstation *(www.kaminakiboats.com)*, die auch Motorboote für Selbstfahrer vermietet. Auf dem Strand stehen etwa 60 Liegen unter 30 Sonnenschirmen, Platz fürs eigene Handtuch bleibt trotzdem noch.

KULÚRA (127 F3) (*m E3*)

Das halbovale Hafenbecken vor dem befestigten Landsitz von Kulúra aus dem 16. Jh. ist eines der gängigen Postkartenmotive Korfus. Das Foto lohnt, es ist jedoch überflüssig, zum Hafen, an dem es kaum Parkplätze gibt, hinunterzufahren: Das Landhaus gehört seit 1986 einer italienischen Familie und ist für Urlauber unzugänglich. *10 km von Kassiópi*

PALEO-
KASTRÍTSA,
LÁKONES &
LIAPÁDES

(126 B–C4) (*m B4*) **Das zum Bergdorf Lákones gehörende Paleokastrítsa und die Küstensiedlung des Bergdorfs Liapádes liegen beide an einer großen Bucht.** Sie wird durch mehrere felsige Halbinselchen nochmals in eine Reihe kleiner Buchten gegliedert. Meist ist die Küste felsig, dazwischen liegen aber kleine Sandstrände, von denen viele nur per Boot erreichbar sind. Überall reicht das üppige Grün bis unmittelbar ans Wasser heran, im Hinterland steigen die Hänge mehrere Hundert Meter hoch auf.

Paleokastrítsa gilt vielen Korfioten als schönster Platz auf Erden. Ein eigentliches Dorfzentrum gibt es dort aber nicht: Hotels, Häuser und Tavernen sind locker

PALEOKASTRÍTSA, LÁKONES & LIAPÁDES

über die grandiose Landschaft verstreut, liegen häufig auch versteckt zwischen Olivenbäumen und Zypressen. Wer Paleokastrítsa einmal zu Fuß durchwandern will, legt deshalb mehr als 3,5 km zurück. Am schönsten ist der Blick auf die Bucht vom großen ☼ Bergdorf *Lákones* aus, das auch als „Balkon des Ionischen Meers" bezeichnet wird. Die meisten der Cafés und Restaurants haben großzügige Aussichtsterrassen. Von hier führt ein INSIDER TIPP Fußweg in ca. 40 Minuten durch einen Olivenwald nach Paleokastrítsa hinunter, während die kurvenreiche Straße dorthin über 6 km lang ist. *Liapádes* schließlich liegt ohne Blick auf die Bucht 1 km von der Küste entfernt. Vom alten Dorf aus zieht sich eine locker gebaute Feriensiedlung bis zum Liapádes Beach direkt an der Bucht hinunter. Besonders schön ist der kleine Dorfplatz: Ihn begrenzen die Terrassen von fünf traditionellen Kaffeehäusern und der Glockenträger der Dorfkirche. Über den Platz ziehen auch heute noch Bauern mit ihren Eseln. Zum Einstimmen empfiehlt sich die umfangreiche private Website zu Liapádes: *www.liapades.de*.

SEHENSWERTES

KLOSTER PANAGÍA THEOTÓKU TIS PALEOKASTRÍTSAS ★ ☼

Hoch über dem Meer thront das weiße Kloster der „Allheiligen Gottesgebärerin von Paleokastrítsa" auf einem steil zum Wasser hin abfallenden Kap am Ausgang der Bucht. Mit seinem grandiosen Ausblick, schattigen Arkaden, einem blumenreichen Innenhof und seiner schönen Kirche gehört es zu den großen und meistbesuchten Sehenswürdigkeiten Korfus. Drei Mönche leben hier noch, im Sommer verbringen einige Alte und Behinderte bei ihnen ihre Ferien.

Gegründet wurde das Kloster schon im 12. Jh., die heutigen Gebäude stammen jedoch aus dem 18. Jh. Auf der bemalten Decke der einschiffigen Kirche sehen Sie Gottvater, Sohn und – in Gestalt ei-

Touristenmagnet: das romantische Kloster Panágia Theotóku tis Paleokastrítsas

DER NORDEN

ner weißen Taube – den Heiligen Geist. Die wertvollste Ikone der Kirche ist ganz vorn an der linken Seitenwand zu finden. Das nur 43 x 33 cm messende Werk von 1653 zeigt drei Kirchenväter, die an ihren mit Kreuzen besetzten Stolen zu erkennen sind. Darunter ist eine dramatische Szene dargestellt, die sich am Festtag dieser drei Heiligen am 30. Januar 1653 tatsächlich in der Stadt Korfu ereignete. Ein Feuerwerkskörper, der ihnen zu Ehren gezündet werden sollte, explodierte. Eine Amme mit einem Kind auf den Armen stand ganz in der Nähe. Wie durch ein Wunder blieb das Kind unverletzt, während die Amme getötet wurde. Sie ist im rechten Teil des Bildstreifens deutlich zu sehen: Blut strömt aus ihrer Seite, sie sinkt zu Boden und hält dabei das Kind noch immer im Arm. Die Eltern des Kinds stifteten danach diese Ikone als Dank an die Heiligen für dieses (halbherzige) Wunder, von dem der Text rechts vom Bildstreifen ausführlich berichtet.

Zwei weitere Ikonen hängen ganz hinten an der linken und rechten Seitenwand. Sie wurden 1713 gemalt und illustrieren in jeweils vier Bildfeldern die biblische Schöpfungsgeschichte. *April–Okt. tgl. 7–13 und 15–20 Uhr, am besten vor 9 und nach 17 Uhr besichtigen, da dann keine Heerscharen von Busausflüglern das Kloster bevölkern – und auf keinen Fall sollten Sie Ihr Auto auf dem Busparkplatz abstellen, da die Busfahrer Sie sonst gnadenlos blockieren! | Eintritt frei*

ESSEN & TRINKEN

CASTELLINO

Vom höchstgelegenen Restaurant der Region aus blicken Sie nicht nur auf die Bucht von Paleokastrítsa, sondern sogar bis zur Stadt Kérkyra und aufs griechische Festland. Die gut Englisch sprechenden Wirtsleute Spíros und Frósso Chalíkia servieren auf mehreren Etagen den womöglich besten Walnusskuchen der Insel *(karidópitta)* und zahlreiche hausgemachte korfiotische Spezialitäten. *Tgl. | oberhalb der Straße von Lákones nach Makrádes Parkplatz an der Str. | €€€*

HORIZON

Taverne mit schöner Aussichtsterrasse und sehr freundlichem Service. Auf Wunsch werden Ihnen als Beilage gekochte Kartoffeln statt der allgegenwärtigen Pommes frites serviert. *Tgl. | an der Hauptstr., Höhe Hotel Odysseus | €€*

EINKAUFEN

ÁLKIS

Seit 1986 widmet sich Herr Alkibíades mit Leidenschaft der Suche nach schön gemasertem Olivenholz, um daraus Unikate nach eigenen Ideen herzustellen. Er gilt als einer der begabtesten Olivenholzschnitzer der Insel. *Lákones | am Ortsausgang links der Straße nach Makrádes*

STRASSENMARKT

Das obere Ende der Straße zum Kloster Panagía Theotóku tis Paleokastrítsas und dessen Vorplatz verwandeln sich während der Touristensaison an jedem Morgen ab etwa 10 Uhr in einen großen Straßenmarkt, auf dem Afrikaner Kunsthandwerk ihres Kontinents und Korfioten ihre gemalten Werke der verschiedensten Stilrichtungen verkaufen. Nette, kleine Souvenirs ab drei Euro sind die mit korfiotischen Motiven bemalten Steine von Ilía Sgouroú, die sie auf Wunsch auch gern auf der Rückseite signiert. Sie sitzt meist direkt an der winzigen Aussichtsplattform am Klostervorplatz gegenüber dem dortigen *Café (€€),* von dessen Terrasse aus Sie einen prächtigen Blick auf die Steilküste und die Burg Angelókastro genießen.

PALEOKASTRÍTSA, LÁKONES & LIAPÁDES

STRÄNDE

Leicht zu Fuß erreichbar sind in Paleokastrítsa die Kiesstrände an den drei größeren Buchten *Ambelāki*, *Spíridon* und *Alípa*. Zu weiteren kleinen Kiesbuchten führen stufenreiche Wege von der Hauptstraße aus hinunter. *Liapádes* hat einen etwa 150 m langen Kiesstrand. Für kleine Kinder sind sie alle schlecht geeignet. Vom *Spíridon Beach*, vom Anleger vor der Bar La Grotta, vom Hafen am *Alípa Beach* und vom *Liapádes Beach* aus fahren Bootstaxis zu zahlreichen weiteren Sand- und Kiesbuchten, die nur vom Wasser her zu erreichen sind. Wenn Sie mögen, können Sie sich auch selbst ein Motorboot bis zu 30 PS mieten, für das Sie keinen Führerschein brauchen.

AM ABEND

LA GROTTA
142 Stufen führen von der Hauptstraße gegenüber dem Hotel Paleokastrítsa hinunter zu der kleinen Bar in einer künstlichen Grotte aus Vulkangestein. Hier können Sie Musik nach Stimmung des Wirts und Meeresrauschen hören. *Tgl. | Paleokastrítsa*

ÜBERNACHTEN

AKROTÍRI BEACH
Das Hotel mit Süßwasserpool unmittelbar über einer der vielen schönen Buchten von Paleokastrítsa ist mit seinen fünf Etagen weithin sichtbar. Den kleinen Kiesstrand mit Wassersportangeboten erreichen Sie über eine kleine Treppe. *127 Zi. | an der Hauptstr. | Tel. 26 63 04 12 75 | www.akrotiri-beach.com | €€€*

GOLDEN FOX ★
Für motorisierte Individualurlauber, die nicht unbedingt in Strandnähe wohnen wollen, gibt es im Norden Korfus wohl keine schöner gelegene Unterkunft als die sechs Studios des „Goldenen Fuchses". Vier von ihnen haben Balkone mit Blick aufs Meer und außerdem auf die Buchten von Paleokastrítsa und die Burg Angelókastro. Zum Komplex hoch oberhalb des Meers gehören auch ein gutes Restaurant, eine Bar, ein großer Souvenirladen und ein formschöner Süßwasserpool. Die Zimmer sind leider nur sehr einfach eingerichtet. *11 Studios | an der Straße von Lákones nach Makrádes | Tel. 26 63 04 91 01 | www.corfugoldenfox.com | €€–€€€*

LIAPÁDES BEACH
100 m vom Strand und 1,5 km vom Ortszentrum entfernt, mit Pool und sehr gutem Hotelrestaurant. *50 Zi. | an der Straße zum Strand | Tel. 26 63 04 11 15 | €*

INSIDER TIPP VILLA FIORITA STUDIOS
Die Pension mit großem Garten wird von Familie Loúlis freundlich geführt. 100 m vom Meer, zwei Minuten von einer Bushaltestelle entfernt. *15 Studios | abseits der Hauptstr. im Dorf | Tel. 26 63 04 13 52 | fiorita@shms.gr | €€*

ZIELE IN DER UMGEBUNG

ANGELÓKASTRO ★
(126 B4) (*Ø B4*)

Hoch über der Westküste stehen auf einem nach allen Seiten hin steil abfallenden Bergkegel die Ruinen der byzantinisch-venezianischen „Engelsburg". Bis zum letzten türkischen Angriff auf die Insel 1716 war sie immer wieder Zufluchtsort der Bevölkerung im Norden Korfus, wenn sich Feinde oder Piraten näherten. Denn niemand hat Angelókastro je erobern können. Eine Asphaltstraße führt von Makrádes über Kriní zum von dort noch 700 m entfernten Park-

DER NORDEN

platz am Fuße des Burgbergs. Die letzten 7 bis 10 Minuten sind dann zu Fuß über einen steilen Pfad zurückzulegen. Wer die Mühe auf sich genommen hat, wird mit einem prächtigen Ausblick reichlich belohnt. *Mo–Fr 8.30–12 Uhr | Eintritt 2 Euro | 5,5 km von Lákones*

MAKRÁDES (126 B4) (*m B4*)

Makrádes (300 Ew.) ist ein großes Bergdorf mit vielen alten Häusern und schmalen Gassen. Nirgends sonst auf Korfu haben sich mehr Einwohner auf den Verkauf von Kräutern und heimischem Landwein spezialisiert als hier. Die heftige Konkurrenz zwingt sie, jeden vorüberfahrenden Wagen durch heftiges Gestikulieren zum Anhalten zu bringen. In der Taverne *Colombo (tgl. | €)* am Dorfplatz können Sie eine über 200 Jahre alte Olivenpresse sehen; auf den Tisch kommen hier viele korfiotische Spezialitäten und allerlei Fleisch vom Holzkohlengrill. *3 km von Lákones*

VÍSTONAS (126 B4) (*m B4*)

Das Bergdorf (160 Ew.) an der Straße zwischen Makrádes und dem Trumbétta-Pass liegt schön inmitten von Olivenwäldern, hat aber nichts Besonderes zu bieten.

Außerhalb des Dorfs allerdings finden Sie an der hier noch asphaltierten kleinen Straße nach Pági den wohl schönsten Weinverkaufsstand der Insel, **INSIDER TIPP** *To Chelidóni*, auf Deutsch: die Schwalbe. Panajótis Koríkis und seine Frau, die beide etwas Deutsch sprechen, stehen hier täglich ab 10 Uhr an ihren liebevoll und fotogen hergerichteten Tischen gleich gegenüber ihren Weingärten. Sie schenken Proben ihres halbtrockenen roten und trockenfruchtigen weißen Landweins aus, verkaufen ihn, ebenso wie Walnüsse aus der Region, Olivenöl und Kräuter, zu günstigen Preisen. *6 km von Lákones, aus dieser Richtung kommend am Ortsanfangsschild links abbiegen*

Perfekt auf einer Felsspitze erbaut: Burgruine Angelókastro

DER SÜDEN

Zwischen Ágios Górdis, Benítses und dem Kap Asprókavos besteht Korfu überwiegend aus Hügelland mit Olivenwäldern. Vor allem die Westküste ist von kilometerlangen Sandstränden gesäumt.

Es sind einzigartige Landschaftseindrücke, die hier sowohl der Koríssion-See, der größte See der Insel, wie auch die ehemaligen Salinen bei Lefkími bescheren. Ein ungewöhnliches Bild bietet sich auch zwischen den beiden Badeorten Messongí und Moraítika sowie in Lefkími, da die Fischerboote nicht am Meeresufer, sondern in romantischen Flusshäfen vertäut sind. Mit historischen Sehenswürdigkeiten kann der Inselsüden allerdings kaum aufwarten; hier können Sie die Natur, viele ursprünglich gebliebene Dörfer und Strände genießen. Vom Massentourismus geprägt sind nur die Ferienzentren Messongí und Moraítika. Doch abseits davon finden Sie im Süden Korfus noch viele ruhige Küstenorte.

ÁGIOS GEÓRGIOS ARGIRÁDON

(128 B–C 4–5) (*M FR*) Zwischen dem auch *Ágios Geórgios South* genannten Ferienort Ágios Geórgios Argirádon (500 Ew.) und den wenigen Häusern von Chalikúna erstreckt sich über 7 km ein schattenloser, von Liegestuhl- und

Bild: Olivenwald im Inselsüden

Korfus liebliche Seite: Olivenwälder, leicht zugängliche Sandstrände, der Koríssion-See und viele ruhige Küstenorte

Sonnenschirmvermietern noch unentdeckter Sandstrand – ein wenig ähnlich einem dänischen Nordseestrand, gesäumt von hohen Dünen.

Hinter dem Strand sehen Sie nicht, wie sonst auf Korfu üblich, bewaldete Berge, sondern eine steppenhafte Küstenebene, in der sich der große, aalreiche Koríssion-See erstreckt. Ágios Geórgios selbst ist eine Feriensiedlung, die sich über fast 3 km an der Küste erstreckt – ohne eigentlichen Ortskern. Das benachbarte Chalikúnas besteht nur aus wenigen Pensionen und drei Tavernen. Wenn Sie absolute Ruhe schätzen, werden Sie sich in Chalikúnas wohlfühlen; wer zumindest ein wenig Zerstreuung und ein bescheidenes Nachtleben möchte, wohnt lieber in Ágios Geórgios.

SEHENSWERTES

KORÍSSION-SEE ★
(128 B–C4) (*D8*)

Der 5 km lange und bis zu 1 km breite See wird durch einen Sand- und Dü-

ÁGIOS GEÓRGIOS ARGIRÁDON

Nur ein schmaler Landstreifen trennt den Koríssion-See vom Meer

nenstreifen vom Meer getrennt, ist aber durch einen schmalen, natürlichen Kanal auch mit ihm verbunden. Je nach Gezeiten und Windrichtung fließt Wasser in den See oder zurück ins Meer. Dadurch ist der See sauber und lockt zahlreiche Fische an. Über den Kanal führt ein Steg, sodass Seeumrundungen zu Fuß oder per Mountainbike möglich sind.

ESSEN & TRINKEN

ALONÁKI ★ ●
In dieser lauschigen Taverne oberhalb einer kleineren Sandstrandbucht nördlich des langen Dünenstrands von Chalikúnas sitzen Sie wie in einem Paradiesgarten. Im Vogelbauer schwatzt und lacht ein Beo, Katzen schmeicheln sich ein, unterm hölzernen Terrassendach nisten Schwalben. Aprikosen und Feigen wachsen Ihnen fast in den Mund. Von der Wirtsfamilie serviert werden Köstlichkeiten wie Kaninchen-Stifádo, *skórpios bourdéto* und die Kohlrouladen *lachanodolmádes*. *Tgl. | von der Zufahrtsstr. zum Chalikúnas-Strand gut ausgeschildert | €*

INSIDER TIPP O KAFÉSAS
In der originellsten Taverne von Ágios Geórgios sitzen Sie auf Terrassen über der wenig befahrenen Uferstraße und blicken aufs Meer. Wirt Ákis hat die Taverne geschmackvoll dekoriert. Das Brot kommt frisch aus dem Lehmbackofen; Gemüse, Olivenöl und Hühner sind von der eigenen Farm, und der Fisch wird selbst geräuchert. Originell sind die vielen hier *toursí* genannten Mixed Pickles; das *bourdétto* wird hier mit Stachelrochen zubereitet. Samstagabends erklingt meist griechische Livemusik. *Tgl. | an der Uferstr. im südlichen Ortsteil | €€*

STRÄNDE

Außer am 7 km langen *Chalikúnas-Strand* können Sie auch an dem schmalen Sandstrand baden, der entlang der gesamten südlichen Hälfte von Ágios Geórgios Ar-

DER SÜDEN

girádon unter einer niedrigen Steilküste verläuft. Nördlich des Hauptstrands schließt sich in Chalikúnas unterhalb der Pension Alonáki eine Bucht mit etwa 200 m langem Sandstrand an. Der gesamte Küstenbereich ist der windigste der Insel. Darum treffen sich hier nicht nur viele gute Surfer, sondern sogar Kitesurfer, die im Café *Harley* die einzige Kitesurfstation Korfus finden.

AM ABEND

HARLEY
Anita aus Bayern und ihr griechischer Mann betreiben ein ganztags geöffnetes Café, das sich abends zum lebendigen Treffpunkt der vielen Surfer im Ort entwickelt. Zu guter Musik wird nicht nur gefachsimpelt, sondern auch *Távli* sowie *KoJa-Golf* gespielt, eine von den Wirten selbst entwickelte, recht naturnahe Variante des Minigolfs. *Tgl. | am nördlichen Ende der Uferstr.*

MANGO BAR
Gemütliche Sofas in einem farbenfrohen Ambiente laden zum abendlichen Chillout mit Cocktails und schönem Blick aufs Meer ein. *Tgl. | am nördlichen Ende der Uferstr.*

ÜBERNACHTEN

INSIDER TIPP ALONÁKI
Die Deutsch und Englisch sprechende Wirtin vermietet über der gleichnamigen Taverne in Chalikúnas und in einem Nebengebäude 15 Zimmer und Apartments. Nur hier gibt es auch die kleinen, kross gebratenen Krabben aus dem Koríssion-See. Keine übliche Tavernenkost, sondern korfiotische Küche so, wie die Köchin sie auch ihren Gästen zu Hause vorsetzen würde. *Tel. 26 61 07 58 72 | Tel. im Winter 26 62 07 61 19 | €*

GOLDEN SANDS
Zweigeschossiges Hotel mit großem Poolbereich an der Uferstraße im südlichen Teil von Ágios Geórgios. Legere Atmosphäre, geräumige Balkons, auch Gäste für nur eine Nacht sind willkommen. *78 Zi. | Tel. 26 62 05 12 25 | €*

MARIN-CHRISTEL
Kleine, gepflegte Apartmentanlage eines in Deutschland praktizierenden griechischen Arztes, absolut ruhig, aber auch schattenlos gelegen. Ca. 10 Gehminuten zum Strand. *7 Apts. | Tel. 26 62 07 59 47 | in Deutschland Tel. 0711 60 07 33 | €€*

MARCO POLO HIGHLIGHTS

⭐ **Koríssion-See**
Ein fischreiches, vom Meer gespeistes Gewässer und ein langer Dünenstrand → S. 69

⭐ **Alonáki**
Gut speisen in einem herrlichen Garten können Sie in Chalikúnas → S. 70

⭐ **Paramónas**
Ein ruhiger Badeort mit kleinen Hotels und guten Tavernen → S. 75

⭐ **Tássos Village Grill**
Die besten Lammkoteletts gibt's in Moraḯtika → S. 77

⭐ **Fischtaverne Spíros Karídis**
Frischen Fisch vom Allerfeinsten finden Sie in dieser Taverne in Búkari → S. 78

⭐ **Chlómos**
Ein stattliches Bergdorf mit alten Ziegeldächern und einem aussichtsreichen Blick → S. 79

ÁGIOS GEÓRGIOS ARGIRÁDON

ZIELE IN DER UMGEBUNG

GARDÍKI (128 B4) (*D 7–8*)
Die byzantinische Burg aus dem 13. Jh. *(frei zugänglich)* mit ihrem achteckigen Mauerring und Türmen aus Bruchstein und Ziegelbändern ist das bedeutendste historische Relikt im Inselsüden. Doch wegen Einsturzgefahr ist der Zutritt zur Burg strikt verboten.

Auf der Weiterfahrt zum Koríssion-See durchqueren Sie Blumenfelder und passieren die Weinkellerei **INSIDER TIPP** *Livadiótis (tgl. 10–14 Uhr)*. Inhaber Sotíris Livadiótis ist leidenschaftlicher Winzer. Jährlich produziert er nur etwa 20 000 Flaschen trockenen Rot- und Weißweins. Man kann ihn auch verkosten und die Weinkellerei besichtigen, die für Besucher nicht fein hergerichtet wurde, sondern sich in ihrer griechisch-ländlichen, nicht ganz aufgeräumten Ursprünglichkeit präsentiert. *13 km von Ágios Geórgios*

KÁVOS (129 F5–6) (*G9*)
Korfus südlichster Ort (850 Ew.) ist alljährlich ein gefundenes Fressen für die griechische Presse und das griechische Privatfernsehen. Mit Faliráki auf Rhodos und Mália auf Kreta bildet der besonders von jungem Publikum bevölkerte Ferienort für die Griechen eine unheilige Trinität. Wer weniger ehrlich sein will, nennt Kávos dezent „britische Partymeile". Erholung finden Sie hier nicht, dafür zahlreiche Clubs, Restaurants und Bars. *22 km von Ágios Geórgios | englischsprachige Site zu Kavos: www.kavos.biz*

Lefkími: Dicht an dicht liegen hier die Boote am Ufer des kleinen Flusses vertäut

LEFKÍMI (129 E5) (*F8*)
Durch Lefkími, mit 3500 Einwohnern größter Ort im Inselsüden, fließt das Flüsschen Chimarós, das ganzjährig Wasser führt. Es ist breit und tief genug, um von kleinen Sport- und Fischerbooten befahren zu werden, die mitten im Ortszentrum an den Kaimauern liegen. Von der Brücke über den Fluss aus führt

DER SÜDEN

eine Straße am rechten Ufer entlang bis zum Sandstrand von Lefkími, der hauptsächlich von Einheimischen aufgesucht wird. An dieser Straße finden Sie nahe der Brücke auch die einzigen Tavernen des noch sehr untouristischen Orts. Zu Lefkími gehört auch die ehemalige Saline von Alýkes an einer Bucht mit relativ schmalem Sandstrand. Das Ufer fällt hier extrem flach ab, sodass kleine Kinder weit ins Meer hinauskönnen, ohne den Boden unter den Füßen zu verlieren. Vom neuen Hafen Lefkimis aus fahren Autofähren nach Igoumenítsa. *16 km von Ágios Geórgios*

MARATHIÁS (129 D5) (*M E8*)

Marathiás ist ein kleines Binnendorf, von dem eine Stichstraße zum gleichnamigen Strand hinunterführt. Der ist kilometerlang und zeichnet sich durch leicht rötlich schimmernden Feinsand aus. *9 km von Ágios Geórgios*

PERIVÓLI (129 D5) (*M F8*)

Vom großen Binnendorf (1400 Ew.) gelangen Sie zum dazugehörigen Küstenweiler *Agía Varvára*, der landläufig auch *Santa Barbara* genannt wird. Der in den Strand von Marathiás übergehende Sandstrand ist über 1 km lang. Als Unterkünfte stehen Apartments und Ferienhäuser zur Verfügung. In Deutschland werden sie von *Jassu-Reisen (Königswinterer Str. 628 | 53227 Bonn | Tel. 0228 92 62 60 | www.jassu.de)* vermarktet. *13 km von Ágios Geórgios*

VITALÁDES (129 D5) (*M E8*)

Von Vitaládes aus geht eine Stichstraße zum noch jungen Badeort **INSIDER TIPP** *Gardénos* mit einem ruhigen Feinsandstrand, zwei Strandtavernen und mehreren Pensionen wie dem *Spíti Xifías (8 Zi. | Tel. 26 62 02 43 74 | €)*. Unterwegs weisen Schilder den Weg zu den „jungfräulichen Stränden" *(Virgin Beaches) Pérka* und *Megáli Lakiá*. Vom *Gardénos Beach* aus können Sie die Insel Páxos gut sehen. *14 km von Ágios Geórgios*

ÁGIOS GÓRDIS

(128 B2) (*M D6*) **An beiden Enden des langen Sandstrands von Ágios Górdis (auch *Ágios Górdios* genannt) ragen hohe Berghänge auf, die mit markant geformten Felsknollen besetzt sind.**

Im Süden begrenzt eine aus dem Meer aufragende Felsnadel, der *Orthólithos*, die Bucht. Dadurch erhält Ágios Górdis sein einzigartiges Gesicht. Der Ort ist eine rein touristische Sommersiedlung, deren Bewohner im Herbst in ihre Heimatdör-

LOW BUDGET

▶ ● Pools für alle: Viele kleinere Hotels und Apartmentanlagen freuen sich über jeden Gast, der nicht im Hause wohnt und trotzdem am hauseigenen Pool etwas konsumieren. Dafür ist die Poolbenutzung dann kostenlos, z. B. in der Pension *Égrypos* in Petríti (129 D4) (*M E8*), im Hotel *Golden Sands* in Ágios Geórgios Argirádon (128 C5) (*M E8*) oder im Hotel *Romantic View* in Ágios Górdis (128 B2) (*M D6*).

▶ Billiger aufs Festland: Von Lefkími (129 E5) (*M F8*) aus sind die Fähren nach Igoumenítsa billiger als von Korfu-Stadt. Pro Person spart man bei der einfachen Überfahrt ca. 2,50, pro Pkw ca. 9 Euro.

ÁGIOS GÓRDIS

Sandstrand mit begrünten Felsnadeln und Steilküste: Ágios Górdis

fer *Káto Garúna* oder *Sinarádes* hinaufziehen. An der nur etwa 120 m langen Hauptstraße zum Strand liegen die meisten Tavernen und Geschäfte.

ESSEN & TRINKEN

LINDA'S
Inhaberin und Köchin Frideríki serviert ihren Gästen gute griechische Hausmannskost. *Tgl. nur abends | an der Hauptstr. zum Strand | €€*

THÁLASSA
Familiengeführte Strandtaverne mit Pizza aus dem Steinofen und vielen hausgemachten Gerichten, freundlicher Service durch die Inhaber. *Tgl. | am Strand | €*

AM ABEND

ARK BEACH CAFE
Die bestgestylte Beachbar des Orts, Strandliegenservice am Tag, Chillout zum Sonnenuntergang, Partys. *Tgl. ab 9 Uhr | am südlichen Strandabschnitt*

MIKE'S DANCING PUB
Der spätabendliche Treffpunkt für junge Urlauber im Dorf. *Tgl. ab 18 Uhr | an der Bushaltestelle an der Kreuzung*

ÜBERNACHTEN

AQUIS AGIOS GORDIOS
Das Besondere an diesem Hotel ist seine atemberaubende Lage zwischen Küstenfelsen und einer bizarren Felsnadel gleich hinter der Anlage. Der Sand-Kies-Strand ist kurz und schmal, mehr Gäste finden auf der Poolterrasse darüber Platz. Zum langen Ortsstrand sind es nur wenige Schritte. Relativ große Zimmer (21–23 m²), All-inclusive-Verpflegung ist obligatorisch. Das Hotel nimmt keine Buchungen für Jugendliche unter 18 entge-

DER SÜDEN

gen, auch nicht in Begleitung der Eltern. *264 Zi. | nur über Reiseveranstalter buchbar | www.aquisresorts.com | €€€*

DANDÍDIS
Studios und Apartment, in denen auch besonders an kleine Kinder gedacht wurde, direkt am Strand. *14 Zi. | am zentralen Strandabschnitt | Tel. 26 61 05 32 32 | www.dandidis.com | €€*

ROMANTIC VIEW 🌼
Die unterschiedlich großen und teuren Zimmer haben fast alle einen Balkon mit Meerblick; auf einer großen Terrasse befinden sich Pool, Planschbecken, Whirlpool und das Freiluftrestaurant (auch für Gäste von außerhalb). Entfernung zum Strand abwärts 10, aufwärts 15 Gehminuten. *80 Zi. | an der Straße nach Sinarádes | Tel. 26 61 05 34 50 | €€*

ZIELE IN DER UMGEBUNG

ÁGIOS MATTHÉOS (128 B3) (*D7*)
Das große Bergdorf (1450 Ew.) liegt in einem besonders grünen Hochtal ohne Blick aufs Meer. Die meisten Bewohner leben vom Olivenanbau. Eine nur von Jeeps befahrbare Piste führt zum 5 km entfernten, nicht mehr bewohnten *Kloster Pantokrátoras* hinauf. *10 km von Ágios Górdis*

PARAMÓNAS ⭐ (128 B3) (*D7*)
Die Küstensiedlung gehört zu Ágios Matthéos und besteht nur aus wenigen Häusern und einem 300 m langen Sand-Kies-Strand. Wer Ruhe und Abgeschiedenheit sucht, wohnt hier gut mit freundlichem Service in der Pension *Sun-Set* (*6 Zi. | Tel. 26 61 07 51 49 | €*) oder im *Paramonas Hotel* (*22 Zi. | Tel. 26 61 07 56 95 | www.paramonas-hotel.com | €€*). Die moderne Pension **INSIDER TIPP** *Skála* (*10 Zi. | Tel. 26 61 07 50 32 | Tel. 26 61 07 51 08 | €€*) besitzt einen der schönsten Gärten der Insel und dazu einen kleinen Pool. 80 m unterhalb dieser Pension und etwa 100 m südlich vom Sun-Set liegt das Restaurant *Plóri* (*tgl. | €*) direkt am Strand. Der Wirt Spíros Merianós spricht Deutsch. *13 km von Ágios Górdis*

FISCH IST KULT

Den Korfioten ist das Meer die schönste Speisekammer. Zu Hause leisten sie sich meist nur kleine, preiswerte Fische. Auswärts aber müssen es die teuersten sein. Und man bestellt immer mehr davon, als man essen kann. Fisch ist Kult. Als Symbol Christi hat er religiös-spirituelle Bedeutung, als Nahrungsmittel ist er gesund. Das sind nur einige der Gründe, warum die Fischzucht zum bedeutenden Wirtschaftszweig an den Küsten auch des Ionischen Meers wurde. Über 500 griechische Fischfarmen beliefern sogar Restaurants und Märkte in Italien und Deutschland. Was dort nicht gedeiht, wird aus Thailand, Indonesien und Südamerika importiert. Allen voran die auch bei Griechen so beliebten Scampi, die man genauso frisch auch in den Alpen essen kann.

Wenn Sie lieber regionalen Fisch genießen möchten, beschränken Sie sich besser auf die kleinen Exemplare dieser Art wie *gópes, gávri* und *marídes*. Die werden sogar noch von kleineren Trawlern aus korfiotischen Häfen gefischt.

MESSONGÍ-MORAÍTIKA

PENDÁTI (128 A–B2) (*C–D 6*)
Wer in Ágios Górdis Urlaub macht, sollte einmal ins noch sehr ursprüngliche Bergdorf *Pendáti* (200 Ew.) hinauflaufen (20–30 Min.). **INSIDER TIPP** *Der Blick von der Terrasse der Snackbar Chris Place (€)* ist atemberaubend schön, das *moussaká* sehr gut. *Auf der Straße 11 km von Ágios Górdis, über den Wanderweg nur 2 km*

MESSONGÍ-MORAÍTIKA

(128 C3–4) (*D–E 7*) **Ein kleiner Fluss trennt Messongí (290 Ew.) und Moraítika (600 Ew.) voneinander. Nahe der Brücke, die beide Orte verbindet, mündet er ins Meer. Hier sind an beiden Ufern Fischer- und Ausflugsboote vertäut.**
Der historische Ortskern von Messongí – heute kaum noch als alt zu erkennen – verläuft parallel zum Strand. Die Hauptachse von Moraítika bildet die viel befahrene Straße in den Inselsüden. Zur Meerseite hin schließen sich relativ weitläufige Hotelanlagen an. Auf der Landseite stehen hangaufwärts die Häuser des alten Dorfs Moraítika mit mehreren Tavernen.

ESSEN & TRINKEN

75 STEPS
Restaurant in grüner Umgebung über Messongí mit Dachterrasse und Blick übers Meer und die Berge. *Tgl. | 1,8 km von der Flussbrücke an der Straße nach Chlómos | €€*

MARILENA
Kleine, unscheinbare Taverne mit schattigem Blätterdach, einem polyglotten Wirt und einer bestechenden Reinlichkeit. Frische, überwiegend regionale Küche, sehr gutes Preis-Leistungs-Verhältnis. *Tgl. nur abends | am südlichen Strandende von Messongí | www.bacchus.gr | €*

Die Orte Messongí und Moraítika wuchsen zu einem beliebten Ferienzentrum zusammen

DER SÜDEN

TÁSSOS VILLAGE GRILL ★ 🌱
Die unscheinbare Taverne im alten Dorfzentrum von Moraítika hat viele begeisterte Stammgäste. Wirt Tássos grillt direkt neben den Tischen auf der Terrasse zarte Lamm- und saftige Schweinekoteletts, seine Söhne Kostas und Spíros (arbeitete früher in Frankfurt als Banker) widmen sich dem Service und unterhalten sich auch gern mit den Gästen. Befreundete Fischer aus dem Dorf liefern den Fisch. Früh zu kommen lohnt, um Wartezeiten zu vermeiden. Das Preis-Leistungs-Verhältnis ist exzellent, der Blick von der Dachterrasse reicht bis zum Meer. *Tgl. nur abends | Moraítika | €*

ZAKS
Auf einer blumenreichen Terrasse werden unter anderem vegetarische Gerichte und flambierte Steaks serviert. Wirt Zacharías hat sein Handwerk in England und in Bern erlernt. *Tgl. nur abends | Messongí an der Hauptstr. nahe der Brücke | €€€*

STRÄNDE

In Moraítika ist der Strand breiter als in Messongí; an beiden Stränden überwiegen Grobsand und Kies. In Messongí wird er von einer fast ununterbrochenen Reihe von kleinen Tavernen gesäumt, in Moraítika liegen Bars und Tavernen weiter auseinander, sodass Sie hier nicht das Gefühl haben, unmittelbar vor einer Häuserreihe zu liegen. Eine Uferpromenade gibt es allerdings in beiden Orten nicht. In Moraítika hat man versucht, diesen Mangel zu beheben, indem man ausgemusterte Holzpaletten aneinanderreihte. Vom Flusshafen an der Mündung des Messongí-Flusses aus bieten verschiedene Ausflugsboote Tagestouren zur Insel Páxos, an die griechische Festlandsküste sowie nach Kérkyra an.

AM ABEND

VERY COCO
Diskobar mit Swimmingpool. Exzellente Erdbeer-Daiquiris, internationaler Mainstream und manchmal griechischer Rock. *Tgl. ab 21 Uhr | an der Inselrundstr.*

ÜBERNACHTEN

INSIDER TIPP CHRISTINA BEACH
Das sehr familiär betriebene, moderne Hotel direkt am Strand von Messongí ist immer gut belegt und nimmt meist nur Gäste auf, die mindestens eine Woche bleiben. Auf Wunsch Halbpension. Für Strandfans besonders reizvoll sind die Zimmer der Kategorie A: Wer hier durch die Terrassentür tritt, ist direkt auf dem schmalen Strand und schnell im Wasser. *16 Zi. | Messongí | Zugang auch von der Uferstr. aus | Tel. 2661076771 | www.hotelchristina.gr | €€*

MESSONGÍ BEACH
Weitläufige, ältere Hotelanlage direkt am Strand mit einem Meerwasser- und drei Süßwasserpools, drei Tennisplätzen sowie einer Tauchschule. Auch Animationsprogramm für Kinder. *828 Zi. | Tel. 2661076684 | www.messonghibeach.gr | €€€*

ZIELE IN DER UMGEBUNG

ÁGII DÉKA 🌱 (128 B2) (*D6*)
Das Dorf der „Zehn Heiligen" (180 Ew.) liegt hoch am Hang eines Bergs, der von einer weithin sichtbaren weißen Radarkuppel gekrönt wird. Vom Südende des Dorfs aus führt ein zu Beginn zementierter, 3,5 km langer und mit Jeeps befahrbarer Feldweg hinauf. Nur wenige Hundert Meter von der Radarkuppel entfernt liegt am anderen Ende der Hochebene das nur von Katzen bewohnte *Kloster*

MESSONGÍ-MORAÍTIKA

Das kleine Muschelmuseum in Benítses präsentiert auch Haikiefer und Korallen

Pantokrátoras (frei zugänglich) inmitten eines Gartens mit Feigen-, Walnuss- und Kirschbäumen. Ein paar Schritte oberhalb des Klosters steht eine moderne, dem Propheten Elías gewidmete *Kapelle*, von der aus sich ein großartiger Blick auf die Westküste Korfus und den Koríssion-See bietet. *17 km von Messongí*

BENÍTSES (128 C2) (*D6*)
Das einstige Fischerdorf ist heute ein Ferienort (800 Ew.) mit viel zu wenig Strand für viel zu viele Leute und einem öden Großparkplatz am Hafen. An Archäologie Interessierte können am westlichen Ortsrand die spärlichen Überreste der *Therme einer römischen Villa (frei zugänglich | Weg dorthin vom nördlichen Parkplatz an der Uferstr. ausgeschildert)* aus dem 2. Jh. besuchen, von der Teile der Außenmauern 4 m hoch stehen. Auch das Badebecken ist noch zu erkennen.
Am nördlichen Ortsende wartet Benítses mit einem kleinen privaten Muschelmuseum auf, das Muscheln aus aller Welt, aber auch Haikiefer und Korallen präsentiert: ● *Shell Museum (März–Okt. tgl. 10–18, Juli/Aug. bis 20 Uhr | Eintritt 4 Euro | www.corfushellmuseum.com).* Meist ist Inhaber Napoleon Sagías da und führt Besucher. *8 km von Messongí*

BÚKARI (129 D4) (*E7*)
Der kleine Fischerhafen (50 Ew.) an der Ostküste ist einer der stillen Küstenorte Korfus. Von Messongí aus können Sie in etwa 1 ¾ Stunden entlang einer wenig befahrenen Uferstraße auch hinübergehen. Der kleine Kiesstrand von Búkari fällt flach ins Meer ab und bietet Schatten unter Tamarisken. Vor allem an Wochenenden ist Búkari seiner Fischtavernen wegen auch ein Ausflugsziel der Einheimischen. Besonders beliebt ist die ★ Fischtaverne *Spíros Karídis (tgl. | €€€)* direkt am Hafen. Spíros Karídis hält ständig eine große Auswahl an frischem Fisch und Langusten vorrätig, kocht ein ausgezeichnetes *bourdéto*, das hier fast den Charakter einer Fischsuppe hat, und serviert einen süffigen Wein vom Fass. Das Obst für den Nachtisch dürfen Sie sich gern von den Bäumen im Tavernengarten pflücken. *6 km von Messongí*

DER SÜDEN

CHLÓMOS ⭐ (128 C4) (*E 7–8*)

Das noch 700 Einwohner zählende Chlómos ist ein sehr schönes Bergdorf im Inselsüden. Reizvoll ist der Blick von der am oberen Dorfrand gelegenen *Kirche Taxiárchis* aus über die alten Ziegeldächer des Orts. Eine sehenswerte Aussicht auf das Dorf bietet die INSIDER TIPP *Taverne Bális* (tgl. | €) am meeresnahen Dorfrand, wo Sie auch nur einen Drink bestellen können. *5 km von Messongí*

PETRÍTI (129 D4) (*E8*)

Im kleinen Fischerhafen des Weilers an der Westküste mit 100 Einwohnern liegen häufig auch größere Boote. Sie widmen sich vor allem dem Sardinen- und Sardellenfang. An Bord werden – wie in Griechenland auf größeren Fischerbooten üblich – zahlreiche ägyptische Fischer aus Dörfern des Nil-Deltas beschäftigt. In den Tavernen des Orts ist Fisch noch relativ preiswert. Dem schmalen Strand vorgelagert ist ein kurioser Fels, auf dem drei Kreuze stehen und die griechische und die byzantinische Flagge wehen. Ein ehemaliger Polizist aus der Umgebung, der auch häufiger auf dem selbst gebauten Floß in der Nähe des Inselchens sitzt und singt, hat sie zusammen mit einem kleinen Kirchenmodell aufgestellt. Es soll daran erinnern, dass auf der kleinen Insel einst ein heute völlig verfallenes Kirchlein für den hl. Nikolaus stand. Am südlichen Ortsrand liegt jenseits des Felseilands der etwa 70 m lange, sandige *Nótos Beach*. Ein alter Olivenhain reicht unmittelbar bis ans Ufer. Oberhalb des Strands essen Sie hervorragend in der Taverne ● INSIDER TIPP *Panórama* (Tel. 26 62 05 17 07 | www.panoramacorfu.gr | €) und können die Liegestühle am Ufer kostenlos benutzen. Der kleine Garten am kurzen Hang zwischen Taverne und Meer gehört zu den schönsten der Insel; man fühlt sich hier fast wie in seiner eigenen kleinen Villa am Meer. Die Inhaber Thanássis Vagiás und seine Frau Ína vermieten in einem etwa 100 m inselaufwärts, ganz ruhig gelegenen Haus 15 geräumige Apartments mit dem Flair des traditionellen korfiotischen Landlebens. Sehr schön wohnen Sie auch etwas landeinwärts im *Hotel Regina* (32 Zi. | Tel. 26 62 05 21 32 | www.regina-hotel.de | €€), das in einem kleinen, sehr grünen Hochtal am Ortsrand liegt. Vier zweigeschossige Gebäude mit Ziegeldächern gruppieren sich um einen Pool, der Hotelbus fährt mehrmals täglich kostenlos zu verschiedenen Stränden. Die Deutsch sprechende Inhaberfamilie kümmert sich herzlich um ihre Gäste, organisiert auch den Flughafentransfer. Zur herrlich ländlichen Umgebung gehört auch der morgendliche Weckruf des Hahns. *15 km von Messongí*

Búkari: ein beschaulicher Küstenort mit guten Fischtavernen

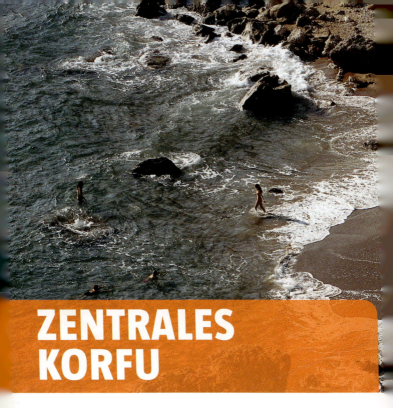

ZENTRALES KORFU

An der weiten Bucht zwischen Kérkyra und dem Pantokrátor stehen die meisten Groß- und Luxushotels der Insel. Doch das sehen nur die Vögel. Hotelklötze wie an manch anderen Küsten des Mittelmeers fehlen an Korfus Touristenküste völlig.

Auch die größeren Anlagen sind gut zwischen viel Grün versteckt, durch sanfte Hügel oder Meeresbuchten voneinander getrennt. Hier können Sie Ihre Ferien in einer Parklandschaft am Meer verbringen. Das säumen zwar nur schmale, meist kiesige Strände, doch den Nachteil machen die Hotels durch große, schöne Liegewiesen und Poolterrassen wett. Die geschützten Buchten laden vor allem zum Wasserskifahrern und Paragliding ein. Da das Ufer flach abfällt und auch für Kinder (mit Badeschuhen) gut geeignet ist, haben viele Hotels und Wassersportstationen hölzerne Stege ins Meer hinausgebaut, die zum Sonnenbaden genutzt werden können. Zum Schwimmen gelangen Sie über Leitern direkt ins tiefere Wasser.

In den nur im Sommer lebhaften Orten ist ein touristisches Umfeld mit Tavernen, Cafés, Souvenirläden, Supermärkten und Bars entstanden. Aber auch die Inselhauptstadt mit ihrem großen Shopping- und Kulturangebot ist nah. Bis in den späten Abend hinein fahren preiswerte Linienbusse hin, Nachtschwärmer kommen für wenig Geld per Taxi ins Bett. Ganz anders als die Ostküste ist die Westküste in Korfus Mitte. Die alten Dörfer wie Pélekas – früher ein Lieblingsort der Blu-

Bild: Mirtiótissa Beach

Vom früheren Hippietreff zur Luxusregion: Tagsüber wird gebadet, und abends geht's in die nahe Inselhauptstadt

menkinder und noch immer Ziel junger Rucksackreisender – und Sinarádes liegen auf den Hügeln landeinwärts, Stichstraßen führen zu langen, breiten Sandstränden hinunter. An deren Enden sind Hotelsiedlungen wie Glifada und Érmones entstanden, die u. a. eine gute Wassersportstation, eine Tauchschule sowie den einzigen Golfplatz der Ionischen Inseln bieten. Zum Strand von Mirtiótissa führt bis heute keine Asphaltstraße, sondern nur ein mühsamer Feld- und Betonweg. Der einzige feste Bau nahe dem Strand ist ein Kloster – am klosterfernen Strandende tummeln sich FKK-Anhänger.

DAFNÍLA & DASSIÁ

(127 D4) *(C–D 4)* **Das auf einer üppig grünen, hügeligen Halbinsel gelegene Dafníla und das sich nördlich daran anschließende Dassiá bilden Korfus luxuriöseste Urlaubsregion.**

DAFNÍLA & DASSIÁ

Hier liegen die Hotels nicht nur am Strand, sondern auch hoch über dem Meer an grünen Hängen. Vor den Stränden gleiten besonders viele Fallschirme übers Wasser, ziehen Wasserskiläufer und Banana-Riders ihre Kreise. Relaxen mit Komfort lautet das Motto – auch in den Wellnesszentren innerhalb der Anlagen. Historische Ortskerne suchen Sie hier vergeblich, doch dafür finden Sie in den Dörfern im Hinterland noch viel ursprüngliche Atmosphäre, die Sie sogar zu Pferd entdecken können.

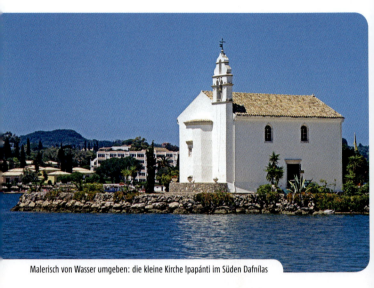

Malerisch von Wasser umgeben: die kleine Kirche Ipapánti im Süden Dafnílas

Insel im Süden Dafnílas. Während Sie über einen kurzen Damm hinübergehen, fühlen Sie sich wie an einem großen Binnensee: Die Bucht von Guviá ist hier ringsum von niedrigen, grünen Hügeln umschlossen, der Ausgang zum Meer hin nirgends zu sehen. In der Ferne sind Guviás Marina und die alten Werfthallen zu erkennen. Rund um die Kirche wurde ein schöner Garten mit Mittagsblumen, Kakteen, Agaven und Palmen angelegt – samt Sitzbänken zum Genießen. Der romantische Platz ist besonders für Hochzeiten beliebt. *Tgl. ab 12 Uhr | Eintritt frei | von der Inselrundstr. aus dem kleinen Wegweiser nach „Koméno" folgen*

SEHENSWERTES

KIRCHE IPAPÁNTI ★

Die Klosterinsel Vlachérna vor der Südspitze der Halbinsel Kanóni kennt jeder Korfu Urlauber zumindest von Postkarten. Ihr kleineres, mindestens ebenso schönes Pendant aber ist noch weitgehend unbekannt: das weiße Kirchlein Ipapánti von 1713 auf einer kleinen

ESSEN & TRINKEN

ETRUSCO

Als „Avantgarde der griechischen Gastronomie", das beste Restaurant aller griechischen Inseln und das zweitbeste Griechenlands überhaupt bezeichnen

ZENTRALES KORFU

Gastronomieführer das Lokal von Ettore Botrini. Er bekennt sich zum revolutionären Stil der von Spaniens Starkoch Andoni Luis Aduriz geprägten Technomotion: Nicht Essen, sondern Emotionen werden verkauft, nicht nur der Magen, sondern auch die Seele gefüttert. Die Karte wechselt häufig, bot schon Köstlichkeiten wie Fischmedaillions in Triple Sec mit Sesam, gegartes Lamm mit Koum-Kouát und Olivenöl oder Tomateneis. Trotz allen Ruhms werden Menüs schon für 60 Euro offeriert. *Mai–Okt. tgl. nur abends | an der Straße von Dassiá nach Áno Korakianá | Tel. 26 61 09 33 42 | €€€*

KARIDIÁ
Eine gepflegte Taverne mit exzellentem Service und vielen täglich frisch zubereiteten griechischen Gerichten, leckeren Lammspezialitäten, sehr guten Salaten und süffigem Hauswein. Eine vegetarische Spezialität des Hauses ist *koloktihópita,* eine mit Zucchini gefüllte Blätterteigtasche. *Tgl. nur abends | Dassiá | an der Hauptstr. | €€*

MALIBU BEACH CLUB
Moderne Bars auf einer Liegewiese am Strand, die mit junger Musik beschallt wird. Snacks. *Tgl. | zwischen den Hotels Dassia Beach und Dassia Chandrís | €*

PANORAMA
Der Name der Taverne mit großer Terrasse hoch oben an einem der Hügel von Dafníla ist treffend: Von hier aus blicken Sie weit über die Insel. Erfreulich sind auch die vielen korfiotischen Spezialitäten. *Tgl. | von der Inselrundstr. aus zunächst dem Wegweiser zum Hotel Daphníla Bay folgen, dort weiter ausgeschildert | €€€*

SPORT & STRÄNDE

Die Halbinsel Komméno, auf der Dafníla liegt, bietet – außer beim Hotel Corfu Imperial – nur dürftige Badestellen. Der Hauptstrand von Dassiá ist etwa 700 m lang und besteht überwiegend aus Kies. Keine Uferstraße stört das Badevergnügen in grüner Natur. Ein stiller, etwa

---

MARCO POLO HIGHLIGHTS

★ **Kirche Ipapánti**
Genauso fotogen, aber weniger bekannt als die auf der berühmten Mäuseinsel → S. 82

★ **Dassiá Beach**
Ein erschwingliches Hotel direkt am Strand gelegen → S. 84

★ **Grecotel Corfu Imperial**
Luxus pur mit privatem Pool und eigenem Jachtliegeplatz in Dafníla → S. 85

★ **Kaizer's Throne**
Ein majestätischer Ort für den Sonnenuntergang → S. 90

★ **Sandstrand von Mirtiótissa**
Paradiesisch – am 300 m langen Sandstrand baden wie Adam und Eva → S. 91

★ **Levant**
Das Hotel in einzigartiger Hügellage bietet Zimmer mit weitem Fernblick → S. 91

★ **Folkloremuseum in Sinarádes**
Im Museum können Sie sehen, wie die Korfioten früher lebten – und im hübschen Bergdorf köstliche korfiotische Spezialitäten genießen → S. 93

DAFNÍLA & DASSIÁ

300 m langer Sandstrand ist der *Ágios Nikólaos Beach* zwischen Dassiá und Dafníla. An ihm steht auch deutlich erkennbar das prächtige Landgut des russischen Oligarchen Roman Abramovich, eines der reichsten Männer der Welt. Oft liegen gleich zwei große Motorjachten vor seinem gut gesicherten Anwesen.

Am Hauptstrand von Dassiá finden Sie drei gute Wassersportstationen; zwei weitere liegen an den Stränden der Hotels Grecotel Daphníla Bay und Corfu Imperial.

AM ABEND

EDEM BEACH NIGHTCLUB
Auch tagsüber geöffnete Strandbar, bei der im Juli und August mehrmals große Beachpartys mit Feuerwerk veranstaltet werden. *Tgl. | Dassiá | vor dem Hotel Schería, ca. 100 m nördlich der Endhaltestelle des Stadtbusses Nr. 7*

TARTAYA
Exotisch anmutende Loungebar unter orangefarben angestrahlten Palmen. Jede Ecke auf der größtenteils offenen Terrasse ist anders gestaltet, zahlreiche Spiegel sorgen für überraschende Effekte. Sie können es sich auf Hockern, Sesseln und Stühlen, aber auch in Hängematten bequem machen oder an der Kontakte fördernden Bar Platz nehmen. *Tgl. | Dassiá | an der Hauptverkehrsstr. nördlich der Chandrís-Hotels*

ÜBERNACHTEN

DASSIÁ BEACH ★
Das Besondere an dem dreigeschossigen, zwischen Bäumen versteckten Hotel ist seine Lage nur 10 m vom Meer entfernt. Kurz nach seiner Fertigstellung wurde ein Gesetz erlassen, das für Hotelbauten einen Mindestabstand von 50 m zum Wasser vorschrieb. Darum sind Häuser in solch bevorzugter Lage ganz selten zu finden.

Die Inhaberfamilie ist stets präsent und überwacht den liebenswert altmodischen Service. Die Zimmer sind einfach und schlicht, aber ordentlich eingerichtet. Zwischen der nur knapp 2 m breiten Strandpromenade und dem Hoteleingang liegt die öffentlich zugängliche Hoteltaverne unter einem dichten Blätterdach, serviert eine große Auswahl typischer Tavernenkost und Gegrilltes zu günstigen Preisen. Ein Badesteg gehört direkt zum Hotel, die nächste Wassersportstation ist nur 50 m entfernt, die Hauptstraße mit ihren Cafés und Bars etwa 300 m. *54 Zi. | Dassiá | am Hauptstrand | Tel. 26 61 09 32 24 | www.dassiahotels.gr | €€*

DASSIÁ CHANDRÍS
Der große Vorteil dieses First-Class-Hotels, das architektonisch eher unspektakulär daherkommt, ist seine weitläu-

ZENTRALES KORFU

Luxus pur: Das Grecotel Corfu Imperial nimmt fast die gesamte Halbinsel Komméno ein

fige, schattige Gartenanlage direkt am Hauptstrand von Dassiá. *251 Zi. und Bungalows | Tel. 26 61 09 33 51 | www.chandris.gr | €€€*

GRECOTEL CORFU IMPERIAL ★

Luxuriöser können Sie auf Korfu nicht übernachten. Das Haus der deutsch-griechischen Hotelkette *Grecotel* nimmt eine ganze Halbinsel ein, besitzt ein eigenes Wassersportzentrum, Privatbuchten mit drei Sandstränden, einen großen Süßwasserpool und ein Hallenbad. Zu den Präsidentenvillen gehören eigener Pool und Jachtliegeplatz. *308 Zi. | Dafníla (ausgeschildert) | Tel. 26 61 09 14 81 | www.grecotel.gr | €€€*

NEFÉLI ✼

Ruhiges, familiär geführtes Hotel mit Pool in einem großen Garten. Einige der Zimmer sind nach unterschiedlichen korfiotischen Themen gestylt. Das Restaurant verzaubert mit einem schönen Panoramablick. Der nächste kleine Sandstrand liegt 800 m zu Fuß entfernt. Ein Mietwagen ist empfehlenswert. *Komméno-Halbinsel | Tel. 26 61 09 10 33 | www.hotelnefeli.com | €€*

ZIELE IN DER UMGEBUNG

ÁNO KORAKIÁNA (126 C3) (*C 3–4*)

Áno Korakiána ist mit 900 Einwohnern und 37 (meist verschlossenen) Kirchen und Kapellen eines der großen Bergdörfer Korfus. Schon bei einem Bummel entlang der Hauptstraße sehen Sie viel historische Bausubstanz: Runde Portale und mit Häusern überbaute Gassen, schön behauene, steinerne Türrahmen und Fenstersimse stammen meist noch aus venezianischer Zeit. Besonders auffällig ist das Haus Nr. 288 an der Hauptstraße *(Odós Dimokratías)* das reich mit skurrilen Skulpturen geschmückt ist. Es war das Wohnhaus eines örtlichen, jedoch nicht näher bekannten Bildhauers. Am besten fahren Sie am späten Nachmittag nach Áno Korakiána, wenn auch

GUVIÁ & KONTOKÁLI

die altertümlichen Kaffeehäuser geöffnet sind und Leben auf den Straßen herrscht. *6 km von Dassiá*

ÍPSOS & PIRGÍ (127 D3–4) (*C–D 4*)
Die beiden nahtlos ineinander übergehenden Küstenorte sind Beispiele für touristische Fehlentwicklungen. Unmittelbar unterhalb der viel befahrenen Inselrundstraße sonnen sich die Urlauber auf einem maximal 5 m breiten Kiesstreifen; auf der anderen Straßenseite reihen sich niveaulose Bars, Restaurants, Souvenirgeschäfte und Zufahrten zu Campingplätzen aneinander. Einen kulinarischen Lichtblick gibt es allerdings: das Restaurant **INSIDER TIPP** *Le Grand Balcon* (tgl. | nördlich von Ípsos oberhalb der Straße nach Barbáti | €€), das vor allem nordgriechische Spezialitäten vom Festland serviert. Hier gibt es sogar *chtapódi*, also Krake, als typisch korfiotisches *bourdétto* zubereitet. Eine andere Spezialität für Kenner ist *katsikáki gástras*, im Tontopf zubereitetes Zicklein. Im Winter kommt auch Wildschwein auf den Tisch. *2 km von Dassiá*

INSIDER TIPP **SOKRÁKI**
(126 C3) (*C3*)
Sokráki wird zum Erlebnis, wenn Sie von Áno Korakiána aus hinauffahren. Die meist nur einspurige Asphaltstraße schraubt sich wie ein Korkenziehergewinde in 23 Haarnadel- und noch mehr sanfteren Kurven einen steilen Hang hinauf und offenbart immer wieder atemberaubende Ausblicke über die Mitte und den Süden Korfus. Beifahrer kommen in Sokráki meist mit feuchten Händen an, die Fahrer selbst müssen erst einmal die Arme ausschütteln.

Am besten geht das auf dem winzigen Dorfplatz, auf dem zwei noch recht ursprüngliche Kaffeehäuser auch Salat, *fétta* (Schafs- oder Ziegenkäse) und Omeletts servieren. **INSIDER TIPP** Beide offerieren zudem ab Mitte Mai eine erfrischende *tzizimbírra,* die spezielle korfiotische Ingwerlimonade *(ginger beer)*. Wer sie bestellt, kann eine in ganz Griechenland einmalige Besonderheit genießen. *11 km von Dassiá*

GUVIÁ & KONTOKÁLI

(127 D4–5) (*C–D 4*) **Am Ufer von Guviá (950 Ew.) und Kontokáli (1600 Ew.) fühlt sich mancher wie an einen Bergsee im Tessin versetzt.**

LOW BUDGET

▶ Campen: Auf dem Campingplatz von Dassiá, dem *Kardá Camping* (127 D4) (*C–D 4*) (Tel. 26 61 09 35 87 | www.kardacamp.gr | Zelt 21–24 Euro, Bungalow 45–56 Euro), können Sie in einfachen Bungalows (bis 4 Pers.) und in voll ausgestatteten Mietzelten (bis 5 Pers.) günstig wohnen. Der Strand ist nur 100 m entfernt, der Bus in die Stadt hält direkt vor dem Platz. Mit Pool, Restaurant, Internetcafé, Kochplätzen und Waschsalon.

▶ Günstig Essen und Trinken: Die kleine Taverne *Roúla* (127 D6) (*C5*) (tgl.) an der Hauptstraße von Pélekas dicht unterhalb des Dorfplatzes gehört zu den preiswertesten im Inselzentrum. Die stets gut gelaunte Wirtin Roúla spricht Deutsch, und der Wein stammt aus dem eigenen Rebgarten.

ZENTRALES KORFU

Die Bucht von Guviá ist fast vollständig von grünen Hügeln umschlossen; Olivenwälder reichen bis ans Wasser. Wenn Sie zum Ausgang der Bucht blicken, erkennen Sie auf der anderen Seite des Meers die hohen, bis in den April hinein schneebedeckten Berge der Festlandsprovinz Épiros. Einen Hauch von großer,

ESSEN & TRINKEN

AGLIO E OLIO
Ein gutes italienisches Restaurant mit einem Hauch von griechischer Küche. Gute Pizza und Pasta. Süßmäulchen sollten das leckere Schokoladensoufflé probieren. *Tgl. | Guviá | €*

Längst werden hier keine Schiffe mehr gebaut: die Venezianischen Werfthallen in Guviá

weiter Welt können Sie an Korfus größtem Jachthafen auch in der Bucht zwischen Guviá und Kontokáli erschnuppern.

SEHENSWERTES

VENEZIANISCHE WERFTHALLEN
Heute wirken die Mauern, Bögen und das Eingangsportal der 1778 erbauten Schiffswerft recht verloren und ziemlich vernachlässigt; in den letzten 20 Jahren der venezianischen Herrschaft über Korfu aber waren die nun ruinösen Gebäude voller Leben. Hier wurden Schiffe gebaut, repariert und über die Wintermonate eingelagert. *Frei zugänglich | zwischen dem Hauptstrand und der Marina, im Ort gut mit „Venetian Shipyards" ausgeschildert*

KAPETÁNIOS
Kleine, traditionelle, familiär geführte Taverne etwas abseits des Trubels, gute griechische Hausmannskost und frischer Fisch. *Tgl. nur abends | im Ortszentrum zwischen Strand und Dorfstr. unmittelbar oberhalb des durch seine Dachreklame weithin erkennbaren Hotels Sirena | €*

MEDÚSA
Typisch griechische *Ouzerí*, in der viele Spezialitäten serviert werden. Dazu gehören z. B. die zypriotischen *scheftaliá*, Hackfleischwürstchen in Bauchfell gewickelt, korfiotische Landbratwurst und sauer eingelegter Oktopus. Kinder erhalten halbe Portionen zum halben Preis. *Tgl. nur abends | an der Dorfstr. in Richtung Kontokáli | €€*

GUVIÁ & KONTOKÁLI

ROÚLA ✨
Abseits allen Trubels an einem stillen Seitenarm der Bucht gelegene Taverne mit Blick auf Yachthafen und Berge. Hier haben schon Michail Gorbatschow und Nana Mouskouri, Vicky Leandros und viele griechische VIPs Fisch und Langusten in familiärem, griechisch-schlichtem Ambiente genossen. *Tgl. abends, Sa/So auch mittags | auf der gleichen Halbinsel wie das an der Schnellstr. gut ausgeschilderte Hotel Kontokáli Bay | €€€*

INSIDER TIPP ▶ TÁKIS
Eine einfache, schon lange bestehende Taverne an der Dorfstraße von Kontokáli mit Tischen vor und hinter dem Haus. Besonders stolz ist der Wirt auf seine selbst geräucherten Forellen vom griechischen Festland. Abends wird häufig ein Lamm am Spieß oder *kokorétsi* gegrillt. Gutes englisches Frühstück. Besonders lecker: die mit Auberginen-, Zucchini- und Paprikastückchen gefüllten und geschmorten Tomaten. *Tgl., Juli/Aug. meist nachmittags geschl. | €€*

STRÄNDE

Der schönste Strand von *Kontokáli* liegt unmittelbar vor dem Hotel Kontokáli Bay und ist, wie alle Strände in Griechenland, öffentlich zugänglich. Zwischen Kontokáli und Guviá sind alle anderen Strände dem Bau der Marina zum Opfer gefallen. So blieben in *Guviá* nur der etwa 200 m lange Hauptstrand sowie ein Strandstreifen unterhalb des Hotels Louis Corcyra Beach erhalten. An beiden überwiegen Kieselsteine.

AM ABEND

ADONIS CLUB
Kleine Kellerdisko. *Tgl. | Dorfstr. Richtung Kontokáli*

ÜBERNACHTEN

ILIÁDA BEACH
Ein Hotel im Ortskern nahe dem Hauptstrand. Mit Pool und familiärer Atmosphäre. Wegen seiner Nähe zur Marina besonders gut für Jachtcrews geeignet. *54 Zi. | Guviá | Tel. 26 61 09 13 60 | www.iliadabeach.com | €€*

KONTOKÁLI BAY
Das besonders familienfreundliche Hotel liegt, von gelegentlichem geringen Fluglärm abgesehen, ruhig auf einer kleinen Halbinsel zwischen Kontokáli und der 6 km entfernten Inselhauptstadt. An zwei Sandstränden und am Meerwasserpool findet man als Hotelgast kostenlos Liegen und Sonnenschirme. Gegen Gebühr Mountainbikes, zwei Tennisplätze und viele Wassersportangebote. *259 Zi. | Kontokáli | Tel. 26 61 09 05 00 | www.kontokalibay.com | €€€*

LOUIS CORCYRA BEACH
Kinderfreundliches Strandhotel in weitläufiger Gartenanlage mit Tennis, Squash und gutem Wassersportangebot. *265 Zi. | Guviá | Tel. 26 61 09 01 96 | www.louishotels.com | €€€*

ZIEL IN DER UMGEBUNG

ÁGIOS IOÁNNIS (127 D5) (*D5*)
In dem Binnendorf an der durchs Inselinnere führenden Verbindungsstraße zwischen Kérkyra und Paleokastrítsa befindet sich Korfus erstes Spaßbad *Aqualand (s. S. 107).*
Ein Hort der Ruhe ist die kleine INSIDER TIPP ▶ Pension Marída *(13 Zi. | Tel. 26 61 05 24 10 | €)* am Dorfplatz im historischen Ortskern. Dort wohnen Sie in einem 1823 erbauten Landhaus mit großem Garten abseits allen touristischen Trubels. *5 km von Guviá*

PÉLEKAS, GLIFÁDA & MIRTIÓTISSA

(126–127 C–D6) (*C5*) **Das kleine Bergdorf Pélekas (565 Ew.) wurde früher als Geheimtipp unter den Hippies gehandelt.**

Die drei Strände der Gemeinde waren völlig unverbaut, der Ort ganz ursprünglich. Damit ist es jetzt vorbei, aber ein wenig von diesem Flair ist in Pélekas noch erhalten. Oben im Bergdorf wohnen vor allem junge Rucksackreisende, Restaurants und Cafés sind einfach und klein. Es gibt noch die typischen Gemischtwarenhandlungen mit redefreudigen Inhabern, und Ausflugsbusse halten nicht im Dorf.

Die kilometerlangen, mehrere Meter hohen Betonmauern am Rand der Zufahrtsstraßen sind mit farbenfrohen, oft künstlerisch wertvollen ● *Graffiti* besprüht, auch manch andere Mauer direkt im Dorf durfte im Rahmen schon mehrfach veranstalteter Graffiti-Festivals phantasiereich verziert werden.

Zwei der drei Strände aber hat der Massentourismus inzwischen fest im Griff. Am *Glifáda Beach* stehen gleich mehrere große Hotels, am *Pélekas Beach* wurde 1999 das erste Großhotel eröffnet. Nur am Strand von *Mirtiótissa* stehen nicht mehr als eine Taverne und ein Kloster. Die Gemeinde fördert das Übernachten im Bergdorf: Mehrmals täglich verkehrt im Hochsommer ein Kleinbus zum Nulltarif zwischen Pélekas und dem Strand von Glifáda – wenn der Gemeindeetat es im jeweiligen Jahr gerade zulässt. Eine erstklassige Website der Ausländer-Commu-

Kirche und Taverne gehören zu jedem korfiotischen Dorf: Abendstimmung in Pélekas

PÉLEKAS, GLIFÁDA & MIRTIÓTISSA

nity in Pélekas, die sich nicht allein auf das Dorf selbst beschränkt, ist *www.pelekas.com*.

SEHENSWERTES

KAIZER'S THRONE ★ ☼

Der deutsche Kaiser Wilhelm II. bevorzugte während seiner Urlaubsaufenthalte auf Korfu einen kleinen Fels auf der Kuppe des Hügels *(Sunset Point)*, der Pélekas überragt, um den Sonnenuntergang zu beobachten. Heute können Sie auf einer ausgeschilderten Asphaltstraße vom Dorf aus hinauffahren. Im Juni sieht es so aus, als ob die rote Feuerkugel korfiotische Berghänge hinunterrollte, wenn der Sonnenball auf einer Bergkuppe aufzusetzen scheint und dann im Neigungswinkel des Hangs seinen Himmelslauf fortsetzt.

KLOSTER PANAGÍA MIRTIÓTISSA (MONÍ MYRTIDIÓN)

Nur 200 m von den Nacktbadestränden von Mirtiótissa entfernt steht zwischen Ölbäumen, Bananenstauden und vielen Blumen eines der am schönsten gelegenen Klöster der Insel. Ein zum Christentum übergetretener Türke soll es der Legende nach im 14. Jh. gegründet haben, nachdem er an dieser Stelle in einem Myrtenstrauch eine alte Marienikone gefunden hatte. Die heutigen Gebäude aber stammen aus dem 19. Jh. Im Kloster wohnt derzeit ein einziger Mönch, der das Kloster instand hält und die alte Ölmühle wieder zum Leben erwecken will. *Tgl. 9–13 und 17–21 Uhr | Zufahrt über eine anfangs asphaltierte, später zementierte schmale Straße, die von der Straße zwischen Pélekas und dem Rópa-Tal abzweigt und dort auch leicht übersehbar ausgeschildert ist | gebührenpflichtiger Parkplatz auf halber Strecke, wenige Parkplätze direkt am Strand und Kloster*

ESSEN & TRINKEN

ALÉXANDROS ☼

Die schon 1960 gegründete, erste Taverne im Ort ist noch immer eine der besten. Der Service ist überaus freundlich, das Preis-Leistungs-Verhältnis stimmt. *Tgl. | Pélekas, im Zentrum an der Straße zum Kaizer's Throne | €€*

ELIÁ ☼

In der modernen Taverne etwa 10 Gehminuten oberhalb des Strands werden Snacks und Standardgerichte serviert, hohe Kochkunst darf hier nicht erwartet werden. Der Taverne gegenüber hängt eine Kreidetafel mit den aktuellen Öffnungszeiten des Klosters. *Tgl. | an der Zufahrtsstr. zum Mirtiótissa-Strand | €*

LEVANT ☼

Im Restaurant des gleichnamigen Hotels auf der Hügelkuppe über Pélekas werden in stilvollem Rahmen auf Wunsch korfiotische Spezialitäten wie der saftige Schinken *noubouló* wahlweise mit *penne tricolore* oder mit Kürbis serviert. Auch der Nudelauflauf *pastítsjo* ohne die teils sehr deftige Béchamelsoße ist zu empfehlen. Auf der großen Terrasse des Restaurants können Sie auch Platz nehmen, wenn Sie nur ein Getränk bestellen. Vielleicht probieren Sie aber einmal eine süße griechische Spezialität: *gliká koutalioú* (Löffelsüßes), verschiedene in Sirup eingelegte Früchte. *Aussichtsterrasse ganztägig, Restaurant tgl. nur abends | Voranmeldung ratsam: Tel. 26 61 09 42 30 | €€€*

PÉTRA

Die trendige Cafébar etwas oberhalb des Pélekas Beach lockt Korfioten aus allen Inselteilen an. Cocktails und Champagner werden besonders eifrig konsumiert, die Snacks dazu sind multikulti. *Tgl. | südliche Zufahrt zum Strand | €€€*

ZENTRALES KORFU

Glasklares Wasser und schöner Strand machen die Mirtiótissa-Bucht zum Badetraum

SPORT & STRÄNDE

Der einsame, ungefähr 300 m lange ★ *Sandstrand von Mirtiótissa* wird inoffiziell auch als FKK-Strand genutzt. Bisher nur vereinzelt können Sie Liegen und Sonnenschirme mieten, aber Felsen bieten Schatten. Dieser Strand ist ein Erlebnis, ein lohnendes Ausflugsziel, ganz gleich, wo Sie auf Korfu wohnen.

Glifáda Beach hingegen ist meist sehr überlaufen, groß ist daher aber auch das Angebot an Liegen, Schirmen und Wassersportaktivitäten. Noch nicht ganz so voll ist der etwa 500 m lange *Pélekas Beach*, zu dem zwei schmale Asphaltstraßen hinunterführen und der auch für Kinder bestens geeignet ist. Auch hier finden Sie eine Wassersportstation.

AM ABEND

Das Nachtleben konzentriert sich auf Cafés und Bars am Dorfplatz und seiner Umgebung.

PÉLEKAS CAFÉ

Das moderne Café am kleinen Hauptplatz ist auch abends ein Treff für Einheimische und Urlauber. Selbst der Dorfpriester ist hier häufig zu Gast. Bei griechischer und internationaler Musik geht der Blick aus den geöffneten Fenstern weit über die Insel. Das stets aufgeschlagene Gästebuch ist voll des Lobs für die freundliche Stimmung. *Tgl. | Pélekas*

ÜBERNACHTEN

LEVANT ★

Für Korfu einzigartig liegt dieses Hotel auf einem Hügel. Baden können Sie in einem Pool. Alle Zimmer haben Panoramablick. Das Haus bietet auch Arbeitsräume mit Computern und Internetzugang sowie eine Videothek. Leider genügt die Sauberkeit der Zimmer nicht immer höchsten Ansprüchen: Nachbesserung einfordern! *25 Zi. | Pélekas Sunset Point | Tel. 2661094230 | www.levantcorfu.com | €€€*

PÉLEKAS, GLIFÁDA & MIRTIÓTISSA

PÉLEKAS COUNTRY CLUB
Mit Antiquitäten eingerichtete Suiten und Studios auf einem Gutshof aus dem 18. Jh. mit einem 500 000 m² großen Olivenhain und Garten. Pool, Hubschrauberlandeplatz und exzellentes Frühstück. *11 Zi. | Kilometer 8 an der Straße von Kérkyra nach Pélekas | Tel. 26 61 05 22 39 | www.country-club.gr | €€€*

INSIDER TIPP ▶ PENSION MARTINI (TÉLLIS UND BRIGITTE)
Das deutsch-griechische Wirtsehepaar und dessen Söhne Spíros und Níkos kümmern sich ausgesprochen herzlich um ihre Gäste. Sie sitzen auch gern mit Ihnen bei einem Glas Wein oder Oúzo und manchmal sogar beim gemeinsamen Barbecue zusammen. ☼ Die nach hinten gelegenen Zimmer bieten einen schönen Blick über die Insel. Spezielle Rabatte für Wanderer auf dem Corfu Trail. *8 Zi. | Pélekas im Ortszentrum an der Hauptstr. ausgeschildert | Tel. 26 61 09 43 26 | www.pensionmartini.com | €*

THOMAS BY G & G
Zwei italienische Brüder betreiben jetzt die alteingesessene Pension sehr leger. Alle Zimmer haben Balkon, in der Hauptsaison wird von den Inhabern im Erdgeschoss ein italienisch-griechisches Restaurant betrieben. *16 Zi. | an der Straße zum Kaizer's Throne | Tel. 26 61 03 97 47 | www.thomaspelekas.com | €*

ZIELE IN DER UMGEBUNG

ÉRMONES (126 C5) (*C5*)
Auch heute noch würde sich Homers Odysseus wohl verwundert die Augen reiben, wenn er noch einmal, wie in sagenhaften Zeiten, nach seiner zehnjährigen Irrfahrt am Strand von Érmones aus dem Tiefschlaf erwachen würde. Vielleicht stünde ja auch eine Badende vor ihm, so schön wie damals Nausikaa, die Tochter des Phäakenkönigs Alkinoos. Die Landschaft ist er nicht wiedererkennen: Das Hinterland des nur 200 m langen Sand-Kies-Strands füllen jetzt zahlreiche Pensionen und Hotels. Sicher wäre Odysseus auch verwundert über die Standseilbahn, die die Gäste des Hotels *Grand Mediterraneo Resort* von ihren hoch am Hang gelegenen Zimmertrakten an den Strand hinunterbringt. Schönere Strände gibt es vielerorts auf Korfu.

VIELSEITIGE ZWERGE

● Korfus renommierteste Spezialität sind Koum Kouáts. Nur auf Korfu und sonst nirgends in Europa werden sie angebaut und wirtschaftlich genutzt. Die mirabellengroßen Früchte, auf Deutsch Gold- oder Zwergorangen bzw. Kumquats genannt, sind in China heimisch und wurden von den Briten in der ersten Hälfte des 19. Jhs. auf die Insel gebracht. Wie Apfelsinen reifen sie im Winter und können zwischen Januar und März geerntet werden. Korfiotische Firmen stellen daraus unterschiedliche Liköre her: farblose aus dem Fruchtfleisch, intensiv rosafarbene aus der Fruchtschale. Vielfach werden Koum Kouáts auch zu Konfitüren verarbeitet. Ebenso erhalten Sie sie als kandierte Früchte und zur Erntezeit frisch zum Verzehr. Die Schale können Sie grundsätzlich mitessen, denn sie schenkt den Früchten ihr würziges Aroma.

ZENTRALES KORFU

Gut und vielseitig sind aber die Sportangebote in der Nähe der Hotels. Angenehm wohnen Sie im *Hotel Elena (28 Zi. | Tel. 26 61 09 41 31 | €€). 7 km von Pélekas*

ROPA VALLEY (126 C4–5) (*C 4–5*)
Auf der für jedermann zugänglichen Restaurantterrasse des Golfclubs von Korfu fühlen Sie sich in eine englische Parklandschaft versetzt. Nur eine kleine, moderne Kapelle gleich nebenan erinnert daran, dass Sie hier in Griechenland sind. *6 km von Pélekas*

SINARÁDES (128 A–B 1–2) (*C–D 6*)
Außerhalb Kérkyras sind Museen Mangelware. Das ★ *Folkloremuseum (Mo–Sa 9–14 Uhr | Eintritt 2 Euro | an der Kirche ausgeschildert, Pkw auf dem Parkplatz im Dorfzentrum parken)* in Sinarádes (1120 Ew.) ist da ein echter Lichtblick im kulturellen Dunkel. Auf zwei Etagen eines historischen Hauses, das noch bis 1970 bewohnt war, wird gezeigt, wie die Korfioten 1860–1960 auf dem Land lebten und arbeiteten. Alle Exponate sind gut auf Deutsch und Englisch erklärt. Einzelstücke mit Seltenheitswert sind zwei Geburtsstühle und Figuren für das griechische Schattenspieltheater *karagióssi*.

Nach dem Museumsbesuch lohnt auch ein kleiner Spaziergang durch das Bergdorf mit vielen alten Häusern. Einige sind besonders schön mit blühenden Pflanzen fast zugewachsen. Wer urige einheimische Atmosphäre schätzt, setzt sich auf ein Getränk in eine der altertümlichen Gemischtwarenhandlungen an der Hauptstraße, die ebenfalls Kafenía sind, und beobachtet das dörfliche Leben. Davon bekommen Sie auch viel mit in der nüchtern eingerichteten INSIDER TIPP *Snackbar Locanda (€)* an der Platía, die zugleich Dorfparkplatz ist. Wirt Stélios war früher Seemann und grillt jetzt all-

Hinter schlichter Fassade verbirgt sich das Folkloremuseum von Sinarádes

abendlich für seine Gäste. In der Hauptsaison dreht sich sonntags hier oft ein Lamm am Spieß.

Wer gern Kaninchen isst, sollte einen (angemeldeten) Besuch in der Taverne INSIDER TIPP *Aerostáto (tgl. ab 10 Uhr | Tel. 26 61 05 41 62 | außerhalb des Dorfs hoch über der Küste gelegen | Zufahrt von der Straße Pélekas-Sinarádes aus ausgeschildert | €€)* machen. Vater Dímitri, der gut Deutsch spricht, züchtet sie selbst und schlachtet sie nach Bedarf. Sohn Stávros, ein in Hamburg geborener Modellflugzeugbauer, und seine Frau Chríssa servieren dazu Weine vom Fass. Direkt oberhalb der Taverne beginnt ein Feldweg, der Sie in 15 Gehminuten zu einem kleinen, meist leeren Sandstrand hinunterführt. *6 km von Pélekas*

Bild: Bergdorf Petalia

AUSFLÜGE & TOUREN

Die Touren sind im Reiseatlas, in der Faltkarte und auf dem hinteren Umschlag grün markiert

1 UNGEWÖHNLICHER STADTSPAZIERGANG DURCH KÉRKYRA

Bei diesem Spaziergang bleiben Sie auf dem Gebiet der Inselhauptstadt, erleben sie aber ganz ländlich und fernab vom Straßenverkehr. Er bietet Ihnen neben schöner Natur auch historische Schmankerl, führt Sie in ein Kloster und an eine ganz grüne Badebucht. Länge des Spaziergangs: ca. 3–4 Stunden.

Dieser **INSIDER TIPP** Spaziergang mit Tempelruinen und Meerblick beginnt am Stadion von Korfu in unmittelbarer Flughafennähe. Die Stadtbuslinie 2 bringt Sie hin. An der Ostseite des Stadions vorbei gehen Sie zunächst zum Hauptfriedhof mit Friedhofskirche → S. 38 und überqueren ihn. Am Ausgang beginnt eine ganz schmale Straße, an der einige sehr einfache Bauernhäuschen stehen. Schafe grasen, Hühner picken, Hunde liegen gelangweilt im Sonnenschein. Schon nach knapp 100 m sehen Sie links die einzigen Überreste der antiken Stadtmauer von Korfu aus dem 5. Jh. v. Chr.

Nur wenige Minuten weiter stehen Sie an den spärlichen Überresten des antiken Artemis-Tempel → S. 36, an dessen Ausgrabungen auch der deutsche Kaiser Wilhelm II. regen Anteil nahm. Sie liegen unmittelbar vor den Mauern des Nonnenklosters Ágii Theodóri → S. 40. Eine der dort lebenden Nonnen führt Sie gern in die Klosterkirche.

Bleiben Sie auf dem schmalen Sträßlein und biegen dann in die Vorfahrtsstraße

Jeden Tag Neues erleben: spannende Touren auf Korfu sowie zwei Bootsausflüge nach Páxos und zum Nachbarland Albanien

nach rechts ein, passieren Sie ein landwirtschaftliches Forschungsinstitut für den Olivenanbau und eine klassizistische Grundschule, bevor Sie vor dem Eingang zum Schlosspark Mon Repos stehen. Hier können Sie im herrlich grünen Gelände der **Basilika von Paleópolis → S. 37** den Anblick der romantischen alten Gemäuer genießen, bevor Sie in den Schlosspark von **Mon Repos → S. 41** hineingehen. Besichtigen Sie zunächst das Schlösschen und folgen Sie dann dem Wegweiser zum **Doric Temple**. An der ersten Wegkreuzung bringt Sie ein schattiger Waldweg hinab zu einer kleinen, ganz vom Grün der Bäume eingefassten Bucht mit hölzernem Bootsanlegesteg, wo Sie eine Badepause anlegen können.

Der Hauptweg führt Sie an den spärlichen Überresten eines **Hera-Tempels** vorbei zu den äußerst romantisch in dichtes Grün eingebetteten, recht fotogenen Grundmauern eines namenlosen dorischen Tempels aus dem 5. Jh. v. Chr., von dem sogar einige Säulen wiederaufgerichtet wurden. Aus der Südostecke des Tempelareals führt Sie ein Pfad zum Mäuerchen, das den ganzen Schlosspark umgibt. Wenn Sie es überklettern und sich auf dem an der Mauer entlangführenden Weg nach rechts halten, kommen Sie in den winzigen Weiler **Análipsi**.

Von hier können Sie auf Asphalt immer an der Schlossparkmauer entlang zum Parkeingang zurückkehren und entweder in den Stadtbus zurück in die Innenstadt oder Richtung **Kanóni → S. 38** steigen oder zu Fuß durch den Stadtteil *Anemómilos* mit der byzantinischen Kirche **Ágios Jáson ke Sossípatros → S. 39** auf die Küstenstraße gelangen.

2 EINMAL RUND UM DEN PANTOKRÁTOR

Auf Korfus höchsten Berg führt eine gute Asphaltstraße. Rund um den Berg laden stille Bergdörfer zur Rast, und Zeit für eine Badepause bleibt auch noch. Länge der Rundfahrt ab und bis Kérkyra: ca. 110 km. Dauer: mindestens 12 Stunden.

Den Auftakt für diesen Tag am Berg bildet das große Dorf **Áno Korakiána → S. 85**. Hier folgen Sie den Wegweisern nach Sokráki und Zigós. Die Straße wird schmaler, schraubt sich wie ein Korkenzieher den steilen Hang hinauf. In **Sokráki → S. 86** angelangt, werden Sie einen Kaffee oder die für Korfu typische Limonade *tzizimbírra* nötig haben. Dann geht es erst einmal wieder etwas bergab, um direkt die Flanke des Pantokrátors in Angriff zu nehmen. Im Dorf **Strinílas → S. 59** verlockt eine Taverne unter einer über 200 Jahre alten Ulme zur Rast. Auf dem Gipfel des **Pantokrátor → S. 59** liegt Ihnen ganz Korfu zu Füßen.

Das nächste Ziel heißt **Ágios Spirídonas → S. 51**, wo Sie baden und zu Mittag essen können. Vielleicht ziehen Sie es aber auch vor, die Mittagspause im nächsten Ort einzulegen: dem alten venezianischen Dorf **Paleó Períthia → S. 54** in einem Hochtal am Fuß des Pantokrátor. Nach einem Spaziergang durch das Geisterdorf geht es weiter nach **Kassiópi → S. 59** an der Küste. Die ganze Schönheit des Orts erleben Sie am besten, wenn Sie die von der Burg bestandene Halbinsel in etwa 25 Minuten umwandern.

Über die Küstenstraße fahren Sie nun in Richtung Süden zurück. **Kulúra → S. 63** und **Kalámi → S. 62** lohnen zumindest einen Blick und ein Foto. In **Nissáki → S. 58** aber sollten Sie auf jeden Fall zum alten Hafen hinunterfahren, um

Eine Kirche ohne Kirchgänger: Geisterdorf Paleó Períthia

AUSFLÜGE & TOUREN

Beeindruckende Vogelperspektive – Kassiópi können Sie aber auch zu Fuß umwandern

den Tag bei einem Abendessen auf einer **INSIDER TIPP** Tavernenterrasse nahe dem Meer ausklingen zu lassen oder vom winzigen Strand aus noch ein abschließendes Bad zu nehmen.

3 EINKAUFEN ZWISCHEN GUVIÁ UND PALEOKASTRÍTSA

An der Nationalstraße von Guviá nach Paleokastrítsa laden im Innern der Insel Geschäfte zum Kaufen oder zu einem Blick über die Schulter der Hand- und Kunsthandwerker ein. Länge der Fahrt: 12 km.

Schon bald nachdem Sie die Inselrundstraße bei **Guviá → S. 86** verlassen haben, können Sie sich links der Straße in der **Emeral Bakery** mit leckeren korfiotischen Backwaren versorgen. Gut 1 km weiter liegt rechts der Straße der **Ceramic Workshop** von Sofoklís Ikonomídis und Sissy Moskídu, die im Ladengeschäft farbige Keramik formen und brennen. 2,6 km weiter können Sie links der Straße eine Ausstellung von **Olivenholzschnitzereien** besuchen. 900 m dahinter erwartet Sie rechts der Straße die Destillerie **Mavromátis**. Im modernen, klimatisierten Ausstellungsraum gibt es Liköre des Hauses zu kaufen.

Linker Hand zweigt 600 m weiter eine Stichstraße zum Hotel Fundána ab, kurz darauf fällt links ein im traditionellen Stil erbautes, umbrafarben gestrichenes Landhaus auf. Darin produziert und verkauft Níkos Sakális hervorragende **INSIDER TIPP** Taschen, Brillenetuis, Rucksäcke und Buchhüllen aus Leder (Schild „Leather Workshop"). All seine eigenen Produkte tragen den Markennamen „Seminole". Mit dem Besuch der Lederwerkstatt ist die kleine Shoppingtour beendet; jetzt können Sie sich wieder ganz dem Baden, der Landschaft oder der Kultur im Kloster von **Paleokastrítsa → S. 63** widmen.

BOOTSAUSFLUG ZUR INSEL PÁXOS ●

Páxos hat zwar nur ein Zwölftel von Korfus Größe, aber ebenso wie die große Schwesterinsel ist es völlig von Olivenwäldern bedeckt. Bei einem Bootsausflug sehen Sie nicht nur das Inselstädtchen Gáios, sondern auch eindrucksvolle Steilküsten und Meeresgrotten. Häufig wird eine Badepause auf der noch viel kleineren, nur im Sommer bewohnten Insel Antípaxos eingelegt. Abfahrten: tgl. ab Kérkyra, Messongí-Moraítika und Kávos, Preis: ca. 30 Euro. Dauer: ca. 8–9 Stunden.

Erstes Highlight einer Umrundung der Insel ist die Grotte Ipapánti, in die kleinere Ausflugsschiffe sogar hineinfahren können. Im Zweiten Weltkrieg hielt sich darin monatelang ein griechisches U-Boot versteckt. Sehr fotogen ist dann der wie eine Pfeilspitze aus dem Meer aufragende Fels Orthólithos. Im Inselhauptort Gáios bleibt Zeit für einen Bummel durch die Gassen und eine ausgedehnte Pause an einem der vielen Tische auf der Platía am Hafen. Der Blick fällt über einen schmalen Meeresarm auf die vorgelagerte Insel Ágios Nikólaos mit den spärlichen Resten einer venezianischen Festung. Im Norden schließt sich die kleine Insel Panagía mit einer schneeweißen Marienkirche an, zu der alljährlich am 15. August Tausende Gläubige pilgern. Manche Ausflugsdampfer fahren von Gáios hinüber zum Festlandsstädtchen Párga (unternehmen dafür aber keine Fahrt rund um Páxos). In Párga können Sie entweder am nur 300 m vom Anleger entfernten Strand baden oder hoch zur mittelalterlichen Burg wandern.

BOOTSAUSFLUG NACH ALBANIEN

Die Nordostküste Korfus liegt nicht mehr Griechenland, sondern schon Albanien gegenüber. Bis 1990 war dieses Nachbarland gegenüber Korfu hermetisch abgeschottet, jetzt fahren täglich Personenfähren und Tragflügelboote hinüber. Der Ausflug bringt Sie in ein Land, in dem bisher kaum je-

Per Boots geht's ins Städtchen Gáios auf Korfus kleiner Schwesterinsel Páxos

AUSFLÜGE & TOUREN

mand Urlaub macht, und zur schönsten archäologischen Stätte weit und breit. **Abfahrten tgl. 9 Uhr ab Kérkyra, Preis fürs Rückfahrticket 38 Euro, Gesamtdauer ca. 9 Stunden, Personalausweis genügt.**
Je nach Fährtyp dauert die Überfahrt 30–75 Minuten. Anlaufhafen in Albanien ist das Städtchen Saranda, das die Griechen Agía Saránda nennen. Es hat zwar nur 35 000 Einwohner, wirkt mit seinen zahllosen neuen, acht- bis zehngeschossigen Hochhäusern aber optisch viel größer. In vielen Wohnungen herrscht aber kein Leben: Im Ausland arbeitende Albaner haben sie als Geldanlage gekauft, sind aber nur selten hier. Vom Fährhafen gelangen Sie am schmalen Stadtstrand entlang über die Uferpromenade in etwa 10 Minuten zu Fuß zum neuen Bootshafen, der mit seinen Cafés der attraktivste Teil von Sarande ist.

Vom Bootshafen gehen Sie links am Hotel Porto Edo vorbei und biegen an der ersten Kreuzung nach links ab. So kommen Sie zum Hauptplatz der Stadt mit kleiner Grünanlage und den eingezäunten Überresten der frühchristlichen Basilika Agía Saránda aus dem 6. Jh. Hier finden Sie gleich neben der Tourist-Information auch einen Taxistandplatz. Haben Sie sich nicht ohnehin für die Teilnahme an einem organisierten Busausflug zum antiken Butrint entschieden, können Sie hier auch eine Taxifahrt mit etwa einstündigem Aufenthalt am Ziel buchen (ca. 30–40 Euro).

Die 24 km lange Straße dorthin führt Sie an reger Bautätigkeit vorbei auf die Landenge zwischen dem Meer und dem See von Butrint. Der Eingang zur Ausgrabungsstätte des antiken Butrint *(tgl. 9–18 Uhr | Eintritt ca. 6 Euro)* liegt ganz dicht am Kanal von Vivarit, der den See mit dem offenen Meer verbindet. Die Berge, die Sie gegenüber sehen, gehören schon wieder zu Griechenland. Die

Reste aus Albaniens großer Vergangenheit: das antike Butrint

Stadt Butrint wurde um 1200 v. Chr. gegründet und war über 2800 Jahre lang bis ins 16. Jh. hinein durchgängig bewohnt. Ihre Glanzzeit erlebte sie während der römischen Epoche, aus der auch die meisten der teils sehr gut erhaltenen Baudenkmäler stammen, die italienische Archäologen schon vor dem Zweiten Weltkrieg freilegten und restaurierten. Heute steht das antike Butrint auf der Liste des Welterbes der Unesco.

Die Ausgrabungen liegen auf einer bis zu 30 m hohen, sich in den See von Butrint vorstreckenden Halbinsel. Sie ist dicht bewaldet, der etwa 50-minütige Rundgang gerät zum angenehmen Parkspaziergang. Informationstafeln mit Grundriss- und Rekonstruktionszeichnungen informieren auf Englisch ausführlich darüber, was jeweils zu sehen ist: römische Thermen und ein römisches Theater, das Baptisterium einer bis zum Dachansatz erhaltenen frühchristlichen Basilika aus dem 5./6. Jh., streckenweise sehr gut erhaltene Stadtmauern und mehrere Stadttore aus verschiedensten Zeiten.

SPORT & AKTIVITÄTEN

Korfu ist kein ausgesprochenes Sportlerziel, aber es gibt reichlich gute Angebote. Besonders für Wassersport jeder Art sind die vielen geschützten Buchten an der Ostseite und die langen, offenen Strände im Westen geradezu ideal.

Für Taucher gibt es weit weniger Restriktionen als im übrigen Griechenland, und die Vielzahl kleiner Straßen und gewundener Pisten ist perfekt für Mountainbiker. Zudem ist Korfu neben Rhodos und Kreta die einzige griechische Insel mit einem 18-Loch-Golfplatz.

BOOTSTOUREN

Minikreuzfahrten für einen oder mehrere Tage können Sie rund um Korfu mit den unterschiedlichsten Bootstypen unternehmen. Die größte Auswahl bietet *Corfu Yachting (Tel. 22 61 09 94 70 | www.corfuyachting.com)* in der Marina von Guviá.

Mit einem hölzernen Schoner von 1960 kostet eine Tagestour inklusive Lunch an Bord und Getränken 90 Euro pro Person, mit einem Segelkatamaran 75 Euro pro Person. Auch Glasbodenboote und traditionelle *káikis* sind im Angebot. Wenn Sie Wert auf Luxus legen, können Sie sich für 24 Stunden eine schnittige Motorjacht samt Kapitän für sechs Personen inklusive Getränken zum stolzen Preis von 3950 Euro anmieten.

Motorboote bis zu 30 PS dürfen Sie auch ohne Bootsführerschein nach kurzer Einweisung selbst steuern. Die exakten Grenzen des zulässigen Reviers gibt

Mal populär, mal exklusiv: Das Sportangebot auf Korfu ist groß – von kostenlos bis höllisch teuer

der Vermieter vor. Alle Boote sind mit Schwimmwesten und Funkverbindung ausgerüstet. Vermietstationen gibt es in vielen Badeorten entlang der Ost- und Nordküste sowie auf der kleinen Nachbarinsel Páxos.

BUNGEE

Beim Bungee Rocket in Kávos sitzen zwei Mutige nebeneinander in einer an Seilen aufgehängten Kugel. Mit einer Beschleunigungskraft, bei der ein Auto binnen einer Sekunde von null auf 150 km/h käme, wird die Kugel auf 72 m Höhe geschossen, dreht sich mehrfach um sich selbst und pendelt dann langsam aus. *Tgl. ab 20 Uhr | ca. 50 Euro pro Start | Kávos | an der Hauptstr.*

GOLF

Korfu hat den grünsten und gepflegtesten 18-Loch-Golfplatz Griechenlands. Hohe Bäume und kleine Teiche geben dem Platz im Ropa Valley seinen besonderen Reiz; auch das Clubhaus ist durch Restauration und kleinen Pro-Shop ein Pluspunkt. Gäste sind herzlich willkommen. *Corfu Golf Club (Tel. 26 61 09 42 20 | im Winter Tel. 21 06 918 795 | www.corfugolfclub.com).*

MOUNTAINBIKING

Drei Unternehmen bieten (meist auch auf Deutsch) INSIDERTIPP geführte Mountainbiketouren in verschiedenen Schwierigkeitsgraden an. Sie vermieten ebenso wie auch kleinere Firmen Bikes. Geführte Tagestouren kosten ab 32 Euro (10 % Rabatt via Internet). Auch Fly&Bike-Programme: *The Corfu Mountainbike Shop (Dassiá | 150 m nördlich des Hotels Dassiá Chandrís an der Hauptstr., Zweigbüro im Grecotel Daphníla Bay | Tel. 26 61 09 33 44 | www.mountainbikecorfu.gr); S-A-F Travel/Hellas Bike (Skombú | an der Straße Guviá-Paleokastrítsa | Tel. 26 61 09 75 58 | Handy 69 45 52 80 31 | www.s-a-f-travel.de); S-Bikes (Tel. 26 63 06 41 15 | www.corfumountainbikes.com).*

REITEN

Der am besten geführte Reitstall der Insel bietet Ausritte für Anfänger und Könner an: INSIDERTIPP *Trailriders (bei Áno Korakiána, dort ausgeschildert | Mo–Sa 10–12 und 17–19 Uhr, kostenlose Transfers in der Region zwischen Paleokastrítsa und Guviá | Tel. 26 63 02 30 90 | www.trailriderscorfu.com).*

TAUCHEN

Um Korfu herum unterliegen Taucher nur wenigen Einschränkungen, sodass die Gegend für diesen Sport ideal ist. Als bestes Tauchgebiet gilt die Küste zwischen Paleokastrítsa und Érmones. Da dieses felsige Areal landseitig nur an wenigen Stellen zu erreichen ist, starten die Tauchgänge meistens vom Boot aus. Alle Tauchbasen auf Korfu bieten Unterricht für Anfänger, Spezialkurse und einzelne Tauchgänge für Rundreisetaucher an. Für Individualtaucher offerieren die meisten Anbieter auch einen Füllservice. *Korfu Diving Rolf Weyler (Paleokastrítsa | an der Ambeláki-Bucht | Tel. 26 63 04 16 04 | www.korfudiving.com)* sowie *Calypso Diving (Ágios Górdis | am südlichen Strandende | Tel. 26 61 05 31 01 | www.divingcorfu.com).*

TENNIS

Die meisten größeren Hotels verfügen über Tennisplätze, die zum Teil auch Nichthotelgästen offenstehen. Die beste, ganzjährig geöffnete und bei vielen Korfioten beliebte Anlage gehört dem griechischen Tennisnationalspieler Spíros Micháleff: *Daphníla Tennis Club (beim Grecotel Daphníla Bay in Dafníla | Tel. 26 61 09 05 70).*

WANDERN

Korfu ist mit seinen vielen schattigen Wegen, grünen Tälern und zahlreichen Dörfern ein ideales Wanderrevier. Wirklich verlaufen kann man sich nicht, denn ein Dorf ist nahezu immer in Sicht. Am schönsten sind Wanderungen von Süden nach Norden auf dem 222 km langen, gut markierten INSIDERTIPP *Corfu Trail*, der vom Kap Akrotíri Arkoúdia bis zum Kap Akrotíri Agías Ekaterínis führt. Weitere Infos mit Links zu Wanderreiseveranstaltern, die den Corfu Trail anbieten: *www.corfutrail.org.*

WASSERSPORT & YACHTING

Vor allen großen Hotels und an den meisten gut besuchten Stränden gibt es Was-

SPORT & AKTIVITÄTEN

sersportstationen. Zum Wasserskifahren sind die Buchten zwischen Dassiá und Kontokáli besonders gut geeignet. Eine Runde kostet etwa 25 Euro. Hier werden auch verschiedene Arten von Funrides betrieben (z. B. Banana-Ride ca. 18 Euro pro Runde). Auch Paragliding wird an vielen Stränden angeboten; die Preisunterschiede sind je nach Saison und Station groß. Als Einzelglider zahlt man 35 bis 45 Euro, der Preis fürs Tandem liegt zwischen 45 und 70 Euro.

Windsurfer, Jollen- und Katamaransegler zieht es vor allem an die Westküste, wo die Winde stärker wehen. Gute Stationen finden Sie z. B. in Paleokastrítsa, Ágios Geórgios Pagón und Érmones. Nur in Ágios Geórgios Argirádon besteht außerdem die Möglichkeit zum Kitesurfen. Ebenfalls dort bietet ein deutscher Veranstalter ein umfangreiches Wassersportpauschalprogramm an, dessen Teilnehmer in der exklusiv vom Veranstalter angemieteten Pension *San Geório* wohnen, die einzigartig schön in einer privaten Parklandschaft liegt. *Info: Frosch Sportreisen (Gasselstiege 24 | 48159 Münster | Tel. 0251 9 27 88 10 | www.frosch-sportreisen.de).*

Inhaber eines Hochseesegelscheins können wochenweise Jachten mieten, teils auch mit Skipper. *Corfu Yachting (Marina Guviá | Tel. 26 61 09 94 70 | www.corfuyachting.com); Sal Yachting (Kérkyra | Odós Sp. Mouríki 3 | Tel. 26 61 03 04 09 | www.salyachts.gr).* Ein- und zweiwöchige **INSIDER TIPP** ==Törns auf Oldtimer-Rahseglern mit Wellness- und Beautyangeboten== an Bord in den Gewässern um Korfu organisiert in Deutschland der *Oldtimer Yachtclub (Günter Bungartz | Beiert 13 | 53809 Ruppichteroth | Tel. 02247 92 20 67 | www.oldtimer-yachtclub.de).*

WELLNESS & YOGA

Bei den Wellnessangeboten ist Korfu nur Durchschnitt, Spas bieten einige wenige Großhotels. Spitze ist die Insel hingegen bei fernöstlichen Alternativen wie Yoga und Meditation, für die Sie gleich mehrere Anbieter an der Küste zwischen Ágios Geórgios Pagón und Arillás finden.

Segeln vor historischer Kulisse: Auf Korfu gibt es Kurse für Anfänger und Fortgeschrittene

MIT KINDERN UNTERWEGS

Korfu ist für Familien mit Kindern ein problemloses Reiseziel. Die Kleinen sind immer und überall willkommen. Die Griechen machen allerdings nicht viel Aufhebens um ihre Kinder, sondern lassen sie einfach an fast allem teilhaben, was die Erwachsenen tun – und das bis weit nach Mitternacht.

Babynahrung, Windeln und frische Milch bekommen Sie in den Supermärkten in großer Auswahl. Kinderermäßigungen werden in Linienbussen, auf Schiffen und Ausflugsbooten sowie bei vielen Veranstaltungen bis zum Alter von 12 Jahren gewährt, und Planschbecken gehören zu den meisten größeren Hotels. Wer in einem Hotel oder einem Apartment ohne Pool wohnt, darf mit seinen Kindern fast überall die Hotelpools benutzen, wenn er nur Getränke und Snacks an der Poolbar kauft.

Dennoch gibt es auf Korfu einige Dinge, die verbesserungswürdig sind: Beispielsweise sind Kinderstühle und -menüs in Restaurants rar, selbst Autovermieter haben nur selten Kindersitze. Einen Kinderspielplatz gibt es zwar in fast jedem Dorf, doch die Geräte sind meist in schlechtem Zustand. Betrieb herrscht dort ohnehin erst in den frühen Abendstunden, wenn die Sonne keine Kraft mehr hat oder schon die Sterne leuchten. In den Ruinen der vielen korfiotischen Burgen behindern keine Verbote und Zäune das Spielen – aber Fallgruben und Mauern sind auch völlig ungesichert.

Noch ein Wort zur Reiseapotheke: Ärzte verschreiben Kindern auch bei leichten

Bild: Schnorchelspaß am Gardénos-Strand

Den Kids wird's bestimmt gefallen – viel Spaß für die ganze Familie im Wasser und an Land

Erkältungen häufig Antibiotika. Wer das nicht mag, nimmt besser seine Hausmittel mit.

Zum Baden sind für Kinder, die noch nicht gut schwimmen können, die flachen und windgeschützten Buchten an der Ostküste viel besser geeignet als die Strände an der Westküste, an denen das Wasser schneller tief wird und oft auch eine leichte Brandung anrollt. Die kinderfreundlichsten Strände finden Sie an der weiten Bucht von Lefkími und an der Bucht von Dassiá.

STADT KORFU

FAHRTEN MIT DEM FIAKER
(U F4 und C1) *(D 5)*

In Kérkyra ist manchmal Pferdegetrappel zu hören, denn es gibt zahlreiche einspännige Kutschen, die von bunt geschmückten Pferden rund um die Altstadt gezogen werden. Vier Personen (oder auch zwei Erwachsene und vier kleinere Kinder) haben darin Platz. Allerdings müssen Sie tief in die Urlaubskasse greifen: für eine halbe Stunde etwa 30 Euro.

Handeln ist erlaubt. Kutschen warten auf der Esplanade, vor dem Schulenburg-Denkmal und vormittags auch am Alten Hafen auf Kundschaft; die schönste Zeit für eine Rundfahrt ist die Abenddämmerung.

MINIZUG AUF RÄDERN (U E4) *(Ⓜ D 5)*
Miniaturzüge mit Lokomotive und drei Waggons, in denen jeweils etwa 20 Personen Platz haben, sind in ganz Griechenland angesagt. Sie fahren mit Elektromotoren auf Gummireifen. In Kérkyra startet solch ein *trenáki*, also ein Eisenbähnchen, zwischen 10 und 14 sowie zwischen 17 und 20 Uhr stündlich zu etwa 40-minütigen Rundfahrten über die Uferstraße bis nach Paleópolis. Der Start- und Zielbahnhof liegt auf der Straße vor dem Hotel Arcadion an der Esplanade, jeder Passagier ab 4 Jahre zahlt fürs Vergnügen den gleichen Betrag, nämlich 6 Euro.

INSIDER TIPP MINICHAUFFEURE
(U F4) *(Ⓜ D 5)*
Ein Maxigewusel herrscht fast jeden Sommerabend zwischen 18 und 22 Uhr auf dem südlichen Teil der Esplanade. Hier werden Kinderträume wahr in kleinen Elektroautos, die von jedem gesteuert werden können, der schon ein Lenkrad halten und ein Gaspedal durchtreten kann – was oft leichter ist, als den Fuß wieder vom Gas zu nehmen. In den Autos haben sogar zwei Kinder Platz. Ein wenig sollten Sie allerdings auf die Kleinen achten, denn das Fahrrevier ist nicht umzäunt; Ausreißer könnten von hier aus überallhin fahren, solange die Batterie mitmacht. Etwa 3 Euro kosten 10 Minuten Kinderglück.

CALYPSO STAR ● (U B1) *(Ⓜ D 5)*
Fische beobachten und Seelöwenshow: Die *Calypso Star* läuft in der Woche von 10 bis 18 und am Sonntag von 11 bis 16 Uhr stündlich aus dem Alten Hafen von Korfu aus. Auf dem 18 m langen Glasboodenboot finden bis zu 50 Personen Platz. In den Rumpf des Schiffs sind große Glasscheiben eingelassen, sodass Sie während langsamer Fahrt auch Fische sehen können. Da diese in griechischen Gewässern aber selten geworden sind, geht ein Taucher von Bord und lockt sie mit Futter an. Fast immer kommt ein ganzer Schwarm, wenn er die *Calypso Star* und ihren Taucher bemerkt.
Das Boot steuert die Nordküste der vorgelagerten Insel Vídos an und stoppt dort, um den Gästen eine Show mit dressierten Seelöwen zu zeigen. Eine solche Show ist unter Tierschutzaspekten immer bedenklich. Vielleicht bewirken diesbezügliche Hinweise möglichst vieler Gäste eine Abschaffung dieses Programmteils. *Der etwa 40-minütige Törn kostet 14 Euro für Erwachsene und 8 Euro für Kinder bis 11 Jahren*

DEN PILOTEN INS AUGE SEHEN
(127 E6) *(Ⓜ D5)*
Die Landebahn des Flughafens von Korfu liegt auf Meereshöhe. Nur 300 m Luftlinie von ihrem südlichen Ende entfernt wird sie von ● *Kanóni*, dem Kap der Halbinsel Análipsis, überragt. Dort oben können Sie hervorragend auf einer Caféterrasse sitzen und warten, bis eine Maschine im Anflug ist oder zum Start rollt. Landen die Maschinen von Süden her, können Sie dem Piloten fast in die Augen schauen, denn man befindet sich auf Augenhöhe mit ihm.
Ebenso faszinierend ist es aber auch, die Flugzeuge am südlichen Landebahnende wenden zu sehen und zu verfolgen, wie sie an Geschwindigkeit gewinnen und schließlich abheben. Nicht minder erfreulich für Groß und Klein: Die erfrischenden Eisbecher hier oben sind wahrhaft verlockend!

MIT KINDERN UNTERWEGS

DER NORDEN

HYDROPOLIS (127 D1) (*C2*)
Das Spaßbad – ähnlich dem Aqualand in Zentral-Korfu – lockt auch beim Gelina Village & Resort am östlichen Ortsrand von Acharávi zum abwechslungsreichen Badespaß. Mit acht großen Wasserrutschen und zahlreichen weiteren Attraktionen für Groß und Klein. *Mai–Sept. tgl. 10–19 Uhr | Eintritt Erwachsene 16 Euro, Kinder (5–12 Jahre) 10 Euro | www.gelinavillage.gr*

AUTOFAHREN IM ZITRONENHAIN (127 D1) (*C2*)
Mit elektrisch betriebenen Miniaturautos können Kinder gleich neben dem Restaurant Lemon Garden in Acharávi fahren. Statt Führerschein gibt's zum Abschluss eine Zitrone. Die Bahn ist abgesteckt und gut gesichert. Die Eltern können sich getrost ihrem Cocktail oder Kaffee im benachbarten Zitronenhain widmen. *Tgl. ab 18 Uhr | 30 Min. ca. 4 Euro*

ZENTRALES KORFU

AQUALAND (127 D5) (*D5*)
Mitten im grünen Inselinnern liegt nahe dem Dorf Ágios Ioánnis der zweite der beiden korfiotischen Wasserparks: *Aqualand*, ein Spaßbad für Jung und Alt auf 75 000 m^2. Umrahmt von Liegewiesen, laden mehrere Süßwasserpools samt Wellenbecken zum Planschen und Schwimmen ein, während zahlreiche Riesenrutschen eine rasante Fahrt versprechen.

Es gibt Selbstbedienungsrestaurants und Bars sowie – wenn Sie in der Nähe der Lautsprecher ihr Lager aufschlagen – den ganzen Tag lang laute Unterhaltungsmusik. Von Kérkyra aus fährt die Stadtbuslinie Nr. 8 um 11, 12.30, 14.15, 15.15 und 17 Uhr hin und ca. 20 Minuten später zurück (Fahrkarten vorher am Kiosk kaufen). *Mai–Sept. tgl. 10–18 Uhr | Eintritt Erwachsene 25 Euro, Kinder (4–12 Jahre) 17 Euro, Wochenpass 75 Euro | www.aqualandresort.gr*

Ob Fahrradfahren oder Baden – zu zweit macht's einfach mehr Spaß

EVENTS, FESTE & MEHR

Venezianische und orthodoxe Einflüsse prägen den korfiotischen Festtagskalender. Der Karneval wird hier ausgiebig und farbenfroh mit Bällen, Kostümierungen und Festumzügen gefeiert; Karwoche und Osterzeit stehen ganz im Zeichen orthodoxer Traditionen. Die Termine dieser beweglichen Feiertage unterscheiden sich von unseren. Bei den vielen Kirchweihfesten, die in jedem Dorf gefeiert werden, gehen beide Welten eine Symbiose ein: Zu italienisch beeinflusster Musik werden die orthodoxen Heiligen an ihrem Patronatstag gefeiert.

Vor allem in Kérkyra finden das ganze Sommerhalbjahr über zahlreiche Konzert- und Kulturveranstaltungen statt, bei denen Sie antike Tragödien oder griechische Rockmusik in Freilichttheatern und in mittelalterlichen Burgen erleben können.

FEIERTAGE

1. Jan. Neujahr; **6. Jan.** Taufe Jesu; **Rosenmontag** (3. März 2014, 23. Feb. 2015); **25. März** Nationalfeiertag; **Karfreitag** (18. April 2014, 10. April 2015); **Ostern** (20./21. April 2014, 12./13. April 2015); **1. Mai** Tag der Arbeit; **21. Mai** Anschluss der Ionischen Inseln an Griechenland; **Pfingsten** (8./9. Juni 2014, 31. Mai/1. Juni 2015); **15. Aug.** Mariä Entschlafung; **28. Okt.** Nationalfeiertag; **25./26. Dez.** Weihnachten

FESTE & VERANSTALTUNGEN

6. JANUAR
▶ *Fest der Wasserweihe und der Taufe Jesu:* In allen größeren Orten ziehen Prozessionen ans Meer. Dort wirft ein Priester ein Kreuz ins Wasser; der Jüngling, der es heraushlt, hat das ganze Jahr über viel Glück.

FEBRUAR/MÄRZ
An den drei Sonntagen und dem Mittwoch vor Rosenmontag ▶ **Karnevalsumzüge** in Kérkyra

ROSENMONTAG
▶ INSIDER TIPP Ausgelassene Stimmung, Musik und Tanz in Messongí

KARFREITAG
Ab nachmittags ▶ **Prozessionen** in allen Dörfern und in der Stadt

OSTERN
● Ostersamstag: Vormittags werfen die Korfioten von Balkonen und aus Fens-

Auf der Insel ist immer viel los – vom groß gefeierten Karneval bis zu den Kirchweihfesten in den Herbst hinein

tern entlang der Hauptgassen der Altstadt Hunderte mit Wasser gefüllte Tonkrüge aufs Pflaster. Das Ganze gerät zum ▶ **Volksfest** mit viel Musik und manchmal auch Tanz.
Um 23 Uhr großer ▶ **Auferstehungsgottesdienst** in allen Kirchen, anschließend Feuerwerk
Ostersonntag: In allen Dörfern drehen sich Lämmer am Spieß, großes ▶ **Festessen** im Kreis der ganzen Familie.

MAI
20. und 21. Mai: ▶ **Kirchweihfest** zu Ehren der Heiligen Konstantin und Helena in Nímfes

JUNI
Zum Schuljahresabschluss führen Schüler von Tanzschulen im Stadttheater an mehreren Abenden ▶ **Folkloretänze** vor.

ANFANG JUNI – MITTE AUGUST
Im Rahmen des ◐ ▶ **International Festival of Corfu** finden an etwa 30 Abenden Konzerte der verschiedensten Musikrichtungen von Rock bis Klassik, vom Chorgesang bis zum Piano-Rezital an historischen Orten wie der Alten Festung, der Georgskirche und in der zur Universität gehörenden Ionian Academy statt. Der Eintritt ist fast immer frei.

MITTE JULI
16./17. Juli: ▶ **Kirchweihfest** in Benítses mit Musik, Tanz und zahlreichen kleinen Geschenken für die Besucher
Dreitägiges ▶ **Kulturfestival** mit Theater und Konzerten in der Festung Gardíki am vorletzten Juliwochenende

AUGUST
10. Aug.: Livemusik, Bootsprozessionen und Folklore im Rahmen des ▶ **Barkarole-Fests** im Stadtteil Garítsa
14./15. Aug.: ▶ **Kirchweihfeste** mit Musik und Tanz in Kassiópi und Paleokastrítsa
23./24. Aug.: große ▶ **Kirchweihfeste** mit Musik und Tanz in den Dörfern Ágii Déka und Pélekas

LINKS, BLOGS, APPS & MORE

LINKS

▶ www.greencorfu.com Englischsprachige Website zur Natur und zu grünen Themen der Insel. Auf dem zugehörigen Blog *greencorfu.wordpress.com* gibt's viele News zu lokalen Produkten, alternativem Tourismus und Umweltbewusstsein

▶ www.allcorfu.com Umfangreiche kommerzielle Website zu allen Orten Korfus

▶ www.corfu.de Private deutsche Homepage mit vielen Infos, guten Links – auch zu Unterkünften und Fähren – sowie interessanten Reiseberichten

▶ www.corfu-shop.de Korfiotische Produkte ganz bequem nach Hause liefern lassen? Mit dieser Website kein Problem

▶ www.corfu-beaches.com Informative, englischsprachige Seite über Korfus Strände, die auf dieser Website auch kritisch betrachtet werden. Zahlreiche Fotos

▶ www.agni.gr Englischsprachige Website einer Taverne und eines Reisebüros in Nordost-Korfu, auch mit allgemeinen Infos und einem einzigartigen Angebot zum Teil sehr origineller Ferienhäuser – z. B. einer alten Olivenpresse oder eines alten Hauses direkt auf der Mole von Lóngos auf der Nachbarinsel Páxos

▶ www.marcopolo.de/korfu Interaktive Karten inklusive Planungsfunktion, Impressionen aus der Community, aktuelle News und Angebote …

BLOGS & FOREN

▶ corfubloggers.blogspot.com Englischsprachiger Blog von drei Britinnen und einer Holländerin, die seit Jahren auf Korfu leben und über Aktuelles informieren

▶ www.corfublogs.gr Viele ausgewählte griechisch- und englischsprachige Blogs zu Korfu auf einen Blick

▶ forum.corfu.de Deutschsprachiges Forum, in dem sich alte und neue Korfu-Freunde über vielerlei Themen und Interessen austauschen

▶ www.korfu-ratgeber.de Hier bloggt der Autor dieses Bands

Egal, ob Sie sich auf Ihre Reise vorbereiten oder vor Ort sind: Mit diesen Adressen finden Sie noch mehr Informationen, Videos und Netzwerke, die Ihren Urlaub bereichern. Da manche Adressen extrem lang sind, führt Sie der kürzere short.travel-Code direkt auf die beschriebenen Websites

VIDEOS & STREAMS

▶ www.corfuvisit.net Die offizielle Website der Stadtgemeinde Korfu präsentiert sich auch durch Videos – darunter ein 22-minütiger Film eines deutschen Fernsehsenders

▶ www.greeka.com Unter den verschiedenen Videos gibt es sogar einen 10-minütigen, 1972 auf Korfu gedrehten 16-mm-Film über die Insel

▶ www.corfu-tube.com Wer die Spreu vom Weizen trennt, findet hier interessante Videos von Urlaubern für Urlauber

APPS

▶ Corfu HiGuide Auf der Gratis-App für Androids finden Sie nicht nur Infos zu Korfu, sondern auch zu Mathráki, Erikoúsa, Páxos und Antípaxos. Zu jeder Sehenswürdigkeit kann eine Sprachaufzeichnung oder ein Video gespeichert werden. Und der Vorteil: Es wird keine Internetverbindung benötigt

▶ iSlands Inselhopping und Ausflugsplanungen werden mit dieser App einfacher. Auf Griechisch und Englisch verfügbar

▶ Jourist Weltübersetzer Schnell zu merkende Floskeln für den Urlaub. Zu jedem Thema, ob Hotel, Restaurant, Sehenswürdigkeiten oder Sport, gibt es außer den vertonten Ausdrücken und der hilfreichen Lautschrift auch noch witzige Illustrationen

▶ Corfuguide Die Android-App hilft durch eine integrierte Karte beim Auffinden von Sehenswürdigkeiten, Hotels, Restaurants oder Tankstellen. Ein Kalender präsentiert aktuelle Events, eine Fährverbindungssuche erleichtert das Inselhopping

NETWORK

▶ short.travel/kor1 Neue, kleine Community, in der es hauptsächlich um Events auf Korfu geht

▶ short.travel/kor2 Auf der Pinnwand der Corfu-Paragliding-Community werden Tipps und Infos zum Gleitschirmfliegen ausgetauscht. Außerdem platzieren Mitglieder dort auch gern Luftbilder

▶ twitter.com/GayCorfu Auf dem Twitter-Blog des privaten Portals *gaycorfuinfo.com* werden im Sommer News und Termine zu Events der Gay-Szene verbreitet

Für den Inhalt der auf diesen Seiten genannten Adressen übernimmt der Verlag keine Verantwortung

PRAKTISCHE HINWEISE

ANREISE

Im Sommer bieten zahlreiche Fluggesellschaften Flüge nach Korfu an. Die Flugzeit beträgt ab Frankfurt/Main rund 160 Minuten. Der Flughafen von Korfu liegt am Stadtrand. Dort können Sie ein Taxi zum Hotel oder zum Fernbusbahnhof in Kérkyra nehmen. Ganzjährig gibt es Verbindungen über Athen.

Die Flugpreise variieren sehr stark. Manchmal sind Linienflüge über Athen sogar weitaus billiger als Charterflüge. Als relevante Websites für die Eigenrecherche sind zu empfehlen: *www.lufthansa.com, www.olympicair.com, www.ageanair.com, www.aua.com, www.swiss.com, www.tuifly.de, www.airberlin.de* und *www.condor.de*.

Wollen Sie mit dem Schiff anreisen? Im Sommerhalbjahr ist Korfu täglich mehrmals mit den italienischen Häfen Ancona, Bari, Brindisi oder Venedig verbunden. Die Fahrzeit nach Brindisi beträgt je nach Schiff 3,5 bis 8 Stunden, nach Ancona ca. 20, nach Venedig 29–36 Stunden. Wer Preise vergleichen will, dem seien folgende Websites empfohlen: *www.gtp.gr, www.greekferries.gr, www.faehren.info, www.minoan.gr, www.anek.de, www.superfast.com, www.ventouris.de*. Oder Sie wenden sich an ein Reisebüro. Eine Bahn- oder Busanreise zu den italienischen Ausgangshäfen dürfte wohl nur in Ausnahmefällen infrage kommen. Auskunft über Fahrpläne und -zeiten finden Sie auf *www.bahn.de* und *www.touring.de*.

GRÜN & FAIR REISEN

Auf Reisen können auch Sie mit einfachen Mitteln viel bewirken. Behalten Sie nicht nur die CO_2-Bilanz für Hin- und Rückflug im Hinterkopf *(www.atmosfair.de)*, sondern achten und schützen Sie auch nachhaltig Natur und Kultur im Reiseland *(www.gate-tourismus.de; www.zukunft-reisen.de; www.ecotrans.de)*. Gerade als Tourist ist es wichtig, auf Aspekte zu achten wie Naturschutz *(www.nabu.de; www.wwf.de)*, regionale Produkte, Fahrradfahren (statt Autofahren), Wassersparen und vieles mehr. Wenn Sie mehr über ökologischen Tourismus erfahren wollen: europaweit *www.oete.de*; weltweit *www.germanwatch.org*

AUSKUNFT

GRIECHISCHE ZENTRALE FÜR FREMDENVERKEHR FRANKFURT
Neue Mainzer Str. 22 | 60311 Frankfurt | Tel. 069 2 57 82 70
– *www.visitgreece.gr*
– *www.corfuvisit.net*

GELD & BANKEN

Landeswährung ist der Euro. Bargeld können Sie mit EC-, Maestro- oder Kreditkarte an vielen Automaten ziehen, Reiseschecks werden bei Banken und Postämtern eingelöst. Kreditkarten (vor allem Visa und Mastercard) werden zwar von vielen Hotels und Restaurants, aber nur von wenigen Tankstellen, Tavernen und Geschäften akzeptiert. Öffnungszeiten der Banken sind *Mo–Do 8–14, Fr 8–13.30 Uhr*.

Von Anreise bis Zoll

Urlaub von Anfang bis Ende: die wichtigsten Adressen und Informationen für Ihre Korfureise

BUSSE

Linienbusse sind *das* öffentliche Verkehrsmittel auf Korfu. Fahrkarten für die Stadtbusse müssen Sie vor Fahrtantritt am Kiosk, am Automaten oder im Hotel kaufen. Die Linie 2 fährt zum Fährhafen, nach Mon Repos und Kanóni, Linie 7 nach Dassiá, Linie 5 nach Kinopiástes, Linie 6 nach Benítses, Linie 8 nach Ágios Ioánnis, Linie 10 zum Achíllio, Linie 11 nach Pélekas und Linie 15 zum Flughafen. Linie 16 verbindet den Alten Hafen mit dem Kreuzfahrtterminal, solange Kreuzfahrtschiffe im Hafen liegen. Tickets für Fernbusse sollten Sie – wenn möglich – bereits am Busbahnhof erwerben, sonst im Bus.

CAMPING

Wildes Zelten ist auf Korfu verboten. Es gibt auf der Insel 13 offizielle Campingplätze, die allerdings nur im Sommerhalbjahr geöffnet sind, darunter in Dassiá, Káto Korakiána und Róda je einen mit Pool.

DIPLOMATISCHE VERTRETUNGEN

DEUTSCHES KONSULAT
Odós Kapodistríou 23 | über Restaurant Aegli | Tel. 26 61 03 68 16

ÖSTERREICHISCHES KONSULAT
Odós Mostochídou 78 | Kérkyra | Tel. 26 61 04 35 73

SCHWEIZER KONSULAT
Odós Figaréto 108 | Kérkyra | Tel. 26 61 08 11 51

WAS KOSTET WIE VIEL?

Taxi	1,17 Euro *pro Überlandkilometer*
Kaffee	2,50 Euro *für eine Tasse Kaffee*
Tretboot	10 Euro *pro Stunde*
Wein	3,50 Euro *für ein Glas Wein*
Snack	2,20 Euro *für Gýros am Imbiss*
Benzin	1,70 Euro *für einen Liter Super*

DISKOTHEKEN

Griechische Diskos öffnen meist erst gegen 22 oder 23 Uhr. Eintritt wird nur selten verlangt, dafür sind die Getränke teuer, z. B. kostet ein Longdrink zwischen 6 und 10 Euro, eine kleine Flasche Bier 3 bis 5 Euro. Alterskontrollen gibt es nicht.

EINREISE

Zur Einreise genügt ein gültiger Personalausweis. Kinder unter 12 Jahren benötigen einen Kinderpass.

EINTRITTSPREISE

Staatliche Museen gewähren Ermäßigungen für alle, die über 65 Jahre sind. Freien Eintritt erhalten Kinder und Jugendliche aus EU-Ländern und Studenten mit internationalem Studentenausweis. Für das Archäologische Museum *(zzt. geschl.)*, das Museum der Asiatischen Kunst, das Byzantinische Museum und die Alte Festung ist an den Kassen ein Kombiticket zum ermäßigten Preis von 8 Euro erhältlich. Sie sparen damit 4 Euro gegenüber dem Kauf der jeweiligen Einzeltickets. Das Kombiticket erhalten Sie an den Kassen der Museen und der Alten Festung.

In Kirchen und Klöstern wird kein Eintritt erhoben, Spenden sind dort jedoch immer sehr willkommen. Die dezenteste Form ist der Kauf von Kerzen, um diese dann mit einer Fürbitte vor einem Heiligenbild zu entzünden.

FOTOS & FILME

Digitale Fotos kann man in fast allen Fotogeschäften auf CD brennen lassen oder selbst in den Internetcafés brennen. Speichermedien und Akkus sind in den Fotogeschäften erhältlich, aber teuer. Gleiches gilt für Filme und Batterien. Für Filmaufnahmen in Museen ist oft eine Gebühr zu zahlen, Fotos mit Stativ oder Blitz sind genehmigungspflichtig. In Kirchen wird Fotografieren ungern gesehen.

GESUNDHEIT

Eine medizinische Grundversorgung mit gut ausgebildeten Ärzten ist gewährleistet. Es mangelt jedoch oft an apparativen Hilfen. In Kérkyra hat das staatliche Krankenhaus ein niedriges Niveau. Schwierige Fälle werden nach Athen geschickt. Bei schwereren Krankheiten oder Verletzungen sollten Sie besser nach Hause fliegen.

Die Behandlung in Notfällen ist im Krankenhaus und in den staatlichen Gesundheitszentren *(ESY, National Health Centre)* kostenlos. Bei Vorlage der von der eigenen Krankenkasse ausgestellten *European Health Insurance Card* ist theoretisch auch die Behandlung bei niedergelassenen Kassenärzten kostenlos. In der Praxis ist das aber kompliziert und zeitraubend. Dringend anzuraten ist eine

BÜCHER & FILME

▶ **Harko und das tote Mädchen am Strand** – Spannend und aktuell sind die Korfu-Krimis von Roberto Bardéz; dieses ist der erste der bisher vier Bände (auch kostenlos als Download erhältlich: www.korfu-krimis.com)

▶ **Meine Familie und anderes Getier** – Humorvoll schildert der berühmte Tierfilmer Gerald Durrell seine Erlebnisse auf Korfu in den 1930er-Jahren, als er seine Kindheit auf der Insel verbrachte

▶ **Schwarze Oliven** – Sein berühmterer Bruder Lawrence Durrell hielt diese Zeit literarisch fest

▶ **My family and other animals** – 2005 wurde die TV-Verfilmung von Gerald Durrells Buch ausgestrahlt, Regie führte Sheree Folkson; in der englischen Originalversion ist sie auf DVD erhältlich

▶ **In tödlicher Mission** – Das James-Bond-Abenteuer (For your eyes only, 1980) beginnt vor der Küste Korfus und wurde teilweise auf der Insel gedreht

▶ **Fedora** – Anspruchsvoller war 1977 Billy Wilders bizarre Geschichte eines Hollywoodstars, der auch einige Zeit auf Korfu verbrachte; mit Hildegard Knef und Mario Adorf

PRAKTISCHE HINWEISE

Auslandskrankenversicherung, den Arzt frei zu wählen, bar zu bezahlen und die Rechnung hinterher bei der Versicherung zur Erstattung einzureichen.

Apotheken sind gut bestückt, führen aber nicht immer Pharmaka deutscher Herkunft. Viele, anderswo nur mit Rezept erhältliche Markenarzneien sind in Griechenland um ein Vielfaches preiswerter als in anderen Ländern, so z. B. bekannte Schmerz-, Sodbrand- und Herpesmittel. Ihr Import ist zum Schutz der Gewinne der Pharmaindustrie nur in kleinen Mengen zum Eigengebrauch gestattet.

Mücken machen auch vor Korfu nicht halt. Ein Mückenschutzmittel gehört ebenso in die Reiseapotheke wie eins gegen Insektenstiche. Beim Tritt auf einen Seeigel schützen Badeschuhe. Dem Menschen gefährliche Giftschlangen und Skorpione gibt es auf der Insel nicht.

INTERNETCAFÉS & WLAN

Internetcafés finden Sie in fast jedem Urlaubsort. Entspannt surfen können Sie im *Netoikos (tgl. 10–24 Uhr | Odós Kalogerétou 4 | Tel. 26 61 04 74 79)* nahe der Kirche Ágios Spirídonas in der Altstadt von Kérkyra.

WLAN nennen die Griechen WiFi (gesprochen Wai-Fai). Fast alle Hotels bieten für Gäste mit eigenem Laptop einen WLAN-Zugang zumindest in der Lobby. Gebührenpflichtig ist er nur in manchen ohnehin teuren Hotels. Auch immer mehr Cafés, Bars und Tavernen bieten ihren Gästen diesen Service kostenlos an, die Übertragungsrate ist meist sehr hoch.

MIETFAHRZEUGE

Fahrräder, Mopeds, Motorroller, Motorräder, Jeeps und Pkws können Sie in allen Urlaubsorten auf Korfu mieten. Einen Opel Corsa bekommen Sie ab 35 Euro/Tag. Wenn Sie ein Auto oder Motorrad mieten wollen, müssen Sie meist mindestens 23 Jahre alt sein. Achtung: Auch bei einem Auto mit Vollkaskoversicherung sind Schäden an den Reifen und an der Unterseite des Fahrzeugs nicht versichert. Bei jedem auch noch so kleinen Unfall ist die Polizei zu rufen, da die Versicherung sonst nicht zahlt. Und wer ein Moped mietet, sollte auch an heißen Tagen Jeans tragen: Sie mildern die Folgen leichter Stürze erheblich!

Tankstellen gibt es auf der Insel in großer Zahl, alle führen bleifreies Benzin und Diesel. Die meisten Tankstellen sind täglich etwa 8–20 Uhr geöffnet. Selbstbedienung ist hier unüblich, auch Münztankstellen sind selten. Der Benzinpreis ist deutlich höher als in Deutschland, Österreich und der Schweiz.

Die zulässige Höchstgeschwindigkeit beträgt in geschlossenen Ortschaften 50 km/h und auf Landstraßen 90 km/h. Anschnallpflicht besteht auf den Vordersitzen. Die Promillegrenze liegt bei 0,5, für Motorradfahrer bei 0,2. Die Bußgelder für Verkehrssünden sind drastisch. Von Falschparkern verlangt die Polizei mindestens 60 Euro, die in einer auf dem Strafzettel genannten Behörde bezahlt werden müssen.

NOTRUF

112 für Polizei, Feuerwehr und Krankenwagen; 171 für Touristenpolizei.

POST

Postämter gibt es in der Stadt Kérkyra und in allen größeren Dörfern. Die Postlaufzeit nach Mitteleuropa beträgt etwa 3–7 Tage. Größere Postämter halten stets auch eine kleine, oft originelle Auswahl an philatelistischen Souvenirs bereit. Öffnungszeiten: *Mo–Fr 7.30–15 Uhr.*

REISEZEIT & KLIMA

Die Reisesaison dauert auf Korfu etwa von Mai bis Oktober. In den übrigen Monaten sind viele Hotels und die meisten Restaurants außerhalb der Inselhauptstadt geschlossen. Im Mai kann das Wasser zum Baden noch zu kühl sein, dafür blüht es in diesem Monat am schönsten. Im Herbst ist das Wasser angenehm warm, aber die Vegetation ist weitgehend verblüht und verbrannt. Zwischen Juni und September fällt kaum Regen, aber oft wehen kräftige Winde.

Die Hauptstadt Kérkyra ist aber auch als Winterreiseziel durchaus reizvoll. Es gibt dann so gut wie keine Urlauber hier. Dafür haben die Einheimischen Zeit, in Tavernen zu feiern. In Bars, Restaurants und Cafés brennt Feuer im offenen Kamin – und die Museen haben Sie ganz für sich allein.

SPRACHE

Die Griechen sind stolz auf ihre Schrift, die von keinem anderen Volk der Erde geschrieben wird. Für Aufschriften und Ortsschilder wird häufig zusätzlich unsere lateinische Schrift verwendet. Trotzdem ist es hilfreich, die griechischen Buchstaben zu kennen. Die richtige Betonung ist fürs Verstandenwerden wichtig. Betont wird der Vokal, der den Akzent trägt. Die im Kartenteil dieses Reiseführers verwendete Umschrift entspricht der offiziellen UN-Vereinbarung, wird in Griechenland selbst jedoch kaum benutzt. Der Textteil orientiert sich an der vor Ort üblichen Aussprache und Schreibweise.

STROM

Auf Korfu gibt es 220 Volt Wechselstrom wie bei uns. Unsere Stecker passen fast immer.

TAXI

In Kérkyra gibt's reichlich Taxis. Sie können sie auf der Straße anhalten, an Halteplätzen besteigen oder telefonisch rufen. Die staatlich festgesetzten Preise sind vergleichsweise niedrig (z. B. Flughafen–Stadtzentrum 8–12 Euro). Achten Sie aber darauf, dass der Taxifahrer innerhalb der Stadt den Tarif 1 einstellt; der höhere Tarif 2 gilt nur für Überlandfahrten!

Außerhalb der Stadt heißen die Taxis offiziell *agoraion*. Ihre Preise sind mit denen der Taxis identisch; sie verfügen jedoch über kein Taxameter. Abgerechnet wird nach Entfernung und Festpreistabelle.

TELEFON & HANDY

Kartentelefone sind noch stärker als bei uns verbreitet. Telefonkarten zum Preis von 4 Euro sind in den Büros der Telefongesellschaft OTE und an vielen Kiosken erhältlich.

Alle griechischen Telefonnummern mit Ausnahme einiger Notrufnummern sind zehnstellig. Eine Ortsvorwahlnummer gibt es nicht. Griechische Handynummern beginnen immer mit einer Sechs. Vorwahlen: Griechenland 0030, dann die Rufnummer. Deutschland 0049, Österreich 0043, Schweiz 0041, dann die Ortsvorwahl ohne Null.

Für Handys ist, außer in manchen Tälern, die Flächendeckung gut. Mit einer griechischen Prepaid-Karte entfallen die Gebühren für eingehende Anrufe. Sie sind in den zahlreichen Shops der Telekommunikationsunternehmen wie Cosmote, Vodafone und Wind erhältlich. Beim erstmaligen Kauf einer griechischen Prepaid-Karte ist eine Registrierung unter Vorlage des Personalausweises notwendig. Karten fürs Nachladen gibt es auch an vielen Kiosken und in Supermärkten.

PRAKTISCHE HINWEISE

TRINKGELD

Wie bei uns, mindestens aber 50 Cent. Im Restaurant lässt man Trinkgeld beim Gehen auf dem Tisch liegen.

ZEIT

In Griechenland ist es ganzjährig eine Stunde später als bei uns.

ZEITUNGEN

Ausländische Presse ist auf Korfu meist mit einem Tag Verspätung erhältlich. Im Land selbst erscheint jeweils mittwochs die deutschsprachige Wochenzeitung *Griechenland-Zeitung (www.griechenland.net)*.

ZOLL

Waren zum persönlichen Gebrauch können von EU-Bürgern zollfrei ein- und ausgeführt werden (u. a. 800 Zigaretten, 10 l Spirituosen, 90 l Wein). Für Schweizer gelten erheblich kleinere Freimengen: z. B. 200 Zigaretten und 1 l Spirituosen sowie 2 l Wein.

Besondere Zollvorschriften gelten auch für Mitbringsel von Tagesausflügen nach Albanien: So dürfen von dort maximal 40 Zigaretten, 1 l Spirituosen oder 2 l Wein eingeführt werden.

WETTER AUF KORFU

	Jan.	Feb.	März	April	Mai	Juni	Juli	Aug.	Sept.	Okt.	Nov.	Dez.
Tagestemperaturen in °C	16	16	17	20	24	28	29	29	27	24	21	17
Nachttemperaturen in °C	9	9	10	12	15	19	21	22	19	16	14	11
Sonnenschein Stunden/Tag	3	5	6	8	10	12	13	12	10	6	6	4
Niederschlag Tage/Monat	12	7	8	4	2	1	0	0	2	6	6	10
Wassertemperaturen in °C	16	15	16	16	19	22	24	25	24	23	20	17

SPRACHFÜHRER GRIECHISCH

AUSSPRACHE

Zur Erleichterung der Aussprache sind alle griechischen Wörter mit einer einfachen Aussprache (in der mittleren Spalte) versehen. Folgende Zeichen sind Sonderzeichen:

' die nachfolgende Silbe wird betont
ð wie englisches „th" in „the", mit der Zungenspitze hinter den Zähnen
Θ wie englisches „th" in „think", mit der Zungenspitze zwischen den Zähnen

Α	α	a	Η	η	i	Ν	ν	n	Τ	τ	t
Β	β	v, w	Θ	θ	th	Ξ	ξ	ks, x	Υ	υ	i, y
Γ	γ	g, j	Ι	ι	i, j	Ο	ο	o	Φ	φ	f
Δ	δ	d	Κ	κ	k	Π	π	p	Χ	χ	ch
Ε	ε	e	Λ	λ	l	Ρ	ρ	r	Ψ	ψ	ps
Ζ	ζ	s, z	Μ	μ	m	Σ	σ, ςs, ss		Ω	ώ	o

AUF EINEN BLICK

Ja/Nein/Vielleicht	nä/'ochi/'issos	Ναι/ Όχι/Ίσως
Bitte/Danke	paraka'lo/äfcharis'to	Παρακαλώ/Ευχαριστώ
Entschuldige	sig'nomi	Συγνώμη
Entschuldigen Sie	mä sig'chorite	Με Συγχωρείτε
Darf ich ...?	äpi'träppäte ...?	Επιτρέπεται ...?
Wie bitte?	o'riste?	Ορίστε?
Ich möchte .../	'thälo .../	Θέλω .../
Haben Sie ...?	'ächäte ...?	Έχετε ...?
Wie viel kostet ...?	'posso 'kani ...?	Πόσο κάνει ...?
Das gefällt mir (nicht)	Af'to (dhän) mu a'rässi	Αυτό (δεν) μου αρέσει
gut/schlecht	ka'llo/kak'ko	καλό/κακό
zu viel/viel/wenig	'para pol'li/pol'li/ligo	πάραπολύ/πολύ/λίγο
alles/nichts	ólla/'tipottal	όλα/τίποτα
Hilfe!/Achtung!/Vorsicht!	wo'ithia!/prosso'chi!/prosso'chi!	Βοήθεια!/Προσοχή!/Προσοχή!
Krankenwagen	asthäno'forro	Ασθενοφόρο
Polizei/Feuerwehr	astino'mia/pirosvästi'ki	Αστυνομία/Πυροσβεστική
Verbot/verboten	apa'goräfsi/apago'räwäte	Απαγόρευση/απαγορέυεται
Gefahr/gefährlich	'kindinoss/äpi'kindinoss	Κίνδυνος/επικίνδυνος

Milás elliniká?

„Sprichst du Griechisch?" Dieser Sprachführer hilft Ihnen, die wichtigsten Wörter und Sätze auf Griechisch zu sagen

BEGRÜSSUNG & ABSCHIED

Gute(n) Morgen/Tag!/ Abend!/Nacht!	kalli'mära/kalli'mära!/ kalli'spära!/kalli'nichta!	Καλημέρα/Καλημέρα!/ Καλησπέρα!/Καληνύχτα!
Hallo!/Auf Wiedersehen!/ Tschüss!	'ja (su/sass)!/a'dio!/ Ja (su/sass)!	Γεια(□ου/σας)!/αντίο!/ Γεια (σου/σας)!
Ich heiße ...	mä 'läne ...	Με λένε ...
Wie heißen Sie?	poss sass 'läne?	Πως σας λένε?

DATUMS- & ZEITANGABEN

Montag/Dienstag	dhäf'tära/'triti	Δευτέρα/Τρίτη
Mittwoch/Donnerstag	tät'tarti/'pämpti	Τετάρτη/Πέμπτη
Freitag/Samstag	paraskä'wi/'sawatto	Παρασκευή/Σάββατο
Sonntag/Werktag	kiria'ki/er'gassimi	Κυριακή/Εργάσιμη
heute/morgen/gestern	'simära/'awrio/chtess	Σήμερα/Αύριο/Χτες
Wie viel Uhr ist es?	ti 'ora 'ine?	Τι ώρα είναι?

UNTERWEGS

Offen/Geschlossen	annik'ta/klis'to	Ανοικτό/Κλειστό
Eingang/ Einfahrt	'issodhos/ 'issodhos ochi'matonn	Εί□οδος/ Εί□οδος οχημάτων
Ausgang/ Ausfahrt	'eksodhos/ 'Eksodos ochi'matonn	Έξοδος/ Έξοδος οχημάτων
Abfahrt/ Abflug/Ankunft	anna'chorissi/ anna'chorissi/'afiksi	Αναχώρηση/ Αναχώρηση/Άφιξη
Toiletten/Damen/ Herren	tual'lättes/ginä'konn/ an'dronn	Τουαλέτες/Γυναικών/ Ανδρών
(kein) Trinkwasser	'possimo nä'ro	Πόσιμο νερό
Wo ist ...? / Wo sind ...?	pu 'ine ...?/pu 'ine ...?	Πού είναι/Πού είναι...?
Bus/Taxi	leofo'rio/tak'si	Λεωφορείο/Ταξί
Stadtplan/ (Land-)Karte	'chartis tis 'pollis/ 'chartis	Χάρτης της πόλης/ Χάρτης
Hafen	li'mani	Λιμάνι
Flughafen	a-ero'drommio	Αεροδρόμιο
Fahrplan/Fahrschein	drommo'logio/issi'tirio	Δρομολόγιο/Εισιτήριο
Ich möchte ... mieten	'thälo na nik'jasso ...	Θέλω να νοικιάσω ...
ein Auto/ein Fahrrad/ ein Boot	'änna afto'kinito/'änna po'dhilato/'mia 'warka	ένα αυτοκίνητο/ένα ποδήλατο/μία βάρκα
Tankstelle	wänzi'nadiko	Βενζινάδικο
Benzin/Diesel	wän'zini/'diesel	Βενζίνη/Ντίζελ

ESSEN & TRINKEN

Reservieren Sie uns bitte für heute Abend einen Tisch für vier Personen	Klis'te mass parakal'lo 'änna tra'pezi ja a'popse ja 'tässera 'atoma	Κλείστεμαςπαρακαλώ ένατραπέζιγιάαπόψε γιά τέσσερα άτομα
Die Speisekarte, bitte	tonn ka'taloggo parakal'lo	Τον κατάλογο παρακαλώ
Könnte ich bitte ... haben?	tha 'ithälla na 'ächo ...?	Θα ήθελα να έχω ···?
mit/ohne Eis/ Kohlensäure	mä/cho'ris 'pago/ anthrakik'ko	με/χωρίς πάγο/ ανθρακικό
Vegetarier/Allergie	chorto'fagos/allerg'ia	Χορτοφάγος/Αλλεργία
Ich möchte zahlen, bitte	'thäl'lo na pli'rosso parakal'lo	Θέλω να πληρώσω παρακαλώ

EINKAUFEN

Wo finde ich ...?	pu tha wro ...?	Που θα βρω ···?
Apotheke/Drogerie	farma'kio/ka'tastima	Φαρμακείο/Κατάστημα καλλυντικών
Bäckerei/Markt	'furnos/ago'ra	Φούρνος/Αγορά
Lebensmittelgeschäft	pandopo'lio	Παντοπωλείο
Kiosk	pä'riptero	Περίπτερο
teuer/billig/Preis	akri'wos/fti'nos/ti'mi	ακριβός/φτηνός/Τιμή
mehr/weniger	pjo/li'gotäre	πιό/λιγότερο

ÜBERNACHTEN

Ich habe ein Zimmer reserviert	'kratissa 'änna do'matjo	Κράτησα ένα δωμάτιο
Haben Sie noch ...	'ächäte a'komma ...	Έχετε ακόμα ···
Einzelzimmer	mon'noklino	Μονόκλινο
Doppelzimmer	'diklino	Δίκλινο
Schlüssel	kli'dhi	Κλειδί
Zimmerkarte	iläktronni'ko kli'dhi	Ηλεκτρονικό κλειδί

GESUNDHEIT

Arzt/Zahnarzt/ Kinderarzt	ja'tros/odhondoja'tros/ pä'dhiatros	Ιατρός/Οδοντογιατρός/ Παιδίατρος
Krankenhaus/ Notfallpraxis	nossoko'mio/ jatri'ko 'käntro	Νοσοκομείο/ Ιατρικό κέντρο
Fieber/Schmerz	pirät'tns/'ponnos	Πυρετός/Πόνος
Durchfall/Übelkeit	dhi'arria/ana'gula	Διάρροια/Αναγούλα
Sonnenbrand	ilia'ko 'engawma	Ηλιακό έγκαυμα
entzündet/verletzt	molli'männo/pligo'männo	μολυμένο/πληγωμένο
Schmerzmittel/Tablette	paf'siponna/'chapi	Παυσίπονο/Χάπι

SPRACHFÜHRER

TELEKOMMUNIKATION & MEDIEN

Briefmarke/Brief	gramma'tossimo/'gramma	Γραμματόσημο/Γράμμα
Postkarte	kartpos'tall	Καρτ-ποστάλ
Ich brauche eine Telefonkarte fürs Festnetz	kri'azomme 'mia tile'karta ja dhi'mossio tilefoni'ko 'thalamo	Χρειάζομαι μία τηλεκάρτα για δημόσιο τηλεφωνικό θάλαμο
Ich suche eine Prepaidkarte für mein Handy	tha 'ithälla 'mia 'karta ja to kinni'to mu	Θα ήθελα μία κάρτα για το κινητό μου
Wo finde ich einen Internetzugang?	pu bor'ro na wro 'proswassi sto índernett?	Που μπορώ να βρω πρόσβαση στο ιντερνετ?
Steckdose/Adapter/Ladegerät	'briza/an'dapporras/fortis'tis	πρίζα/αντάπτορας/φορτιστής
Computer/Batterie/Akku	ippologis'tis/batta'ria/äppanaforti'zomänni batta'ria	Υπολογιστής/μπαταρία/επαναφορτιζόμενη μπαταρία
Internetanschluss/WLAN	'sindhässi sä as'sirmato 'dhitio/waifai	Σύνδεση σε ασύρματο δίκτυο/WiFi

FREIZEIT, SPORT & STRAND

Strand	para'lia	Παραλία
Sonnenschirm/Liegestuhl	om'brälla/ksap'plostra	Ομπρέλα/Ξαπλώστρα

ZAHLEN

0	mi'dhän	μηδέν
1	'änna	ένα
2	'dhio	δύο
3	'tria	τρία
4	'tässara	τέσσερα
5	'pände	πέντε
6	'äksi	έξι
7	äf'ta	εφτά
8	och'to	οχτώ
9	ä'näa	εννέα
10	'dhäkka	δέκα
11	'ändhäkka	ένδεκα
12	'dodhäkka	δώδεκα
20	'ikossi	είκοσι
50	pän'inda	πενήντα
100	äka'to	εκατό
200	dhia'kossja	διακόσια
1000	'chilia	χίλια
10000	'dhäkka chil'jades	δέκα χιλιάδες

EIGENE NOTIZEN

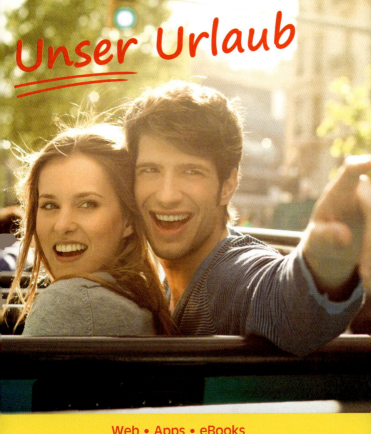

MARCO ⊕ POLO

Unser Urlaub

Web • Apps • eBooks

Die smarte Art zu reisen

Jetzt informieren unter:

www.marcopolo.de/digital

Individuelle Reiseplanung,
interaktive Karten, Insider-Tipps.
Immer, überall, aktuell.

REISEATLAS

Die grüne Linie ▬▬ zeichnet den Verlauf der Ausflüge & Touren nach
Die blaue Linie ▬▬ zeichnet den Verlauf der Perfekten Route nach

Der Gesamtverlauf aller Touren ist auch in der
herausnehmbaren Faltkarte eingetragen

Bild: Hafen von Ágios Stéfanos

Unterwegs auf Korfu

Die Seiteneinteilung für den Reiseatlas finden Sie auf dem hinteren Umschlag dieses Reiseführers

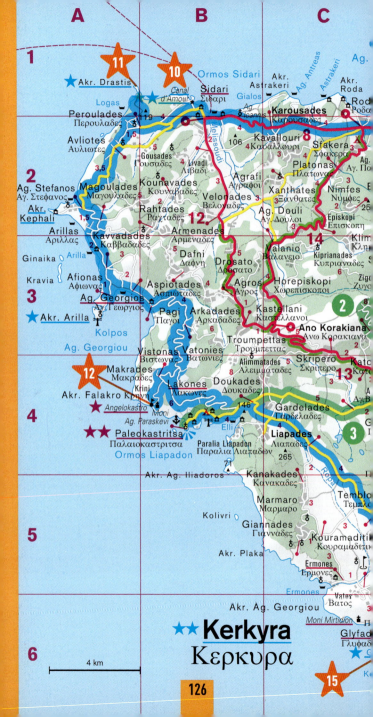

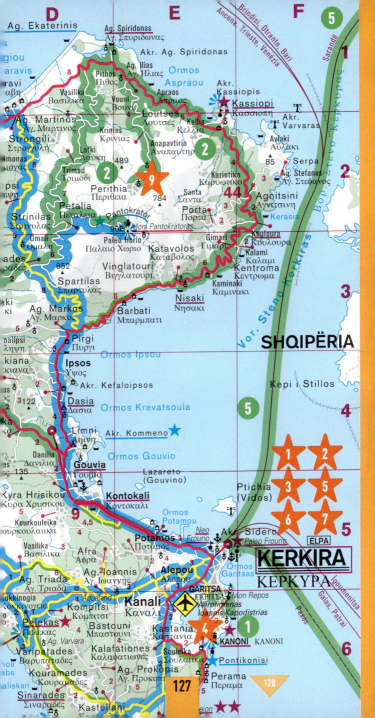

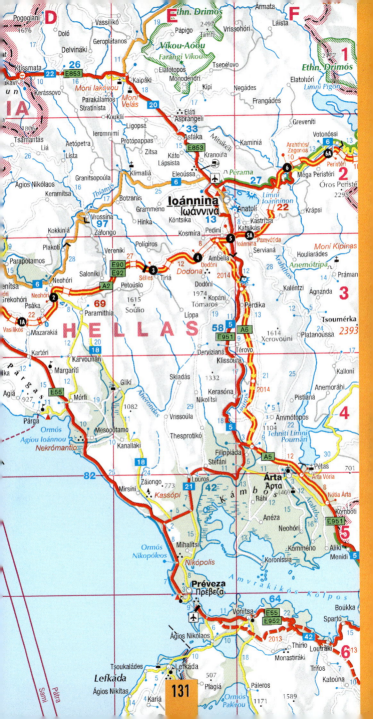

KARTENLEGENDE

Autobahn · Gebührenpflichtige Anschlussstelle · Gebührenstelle · Anschlussstelle mit Nummer		Motorway · Toll junction · Toll station · Junction with number
Zweibahnige Straße (4-spurig)		Dual carriageway (4 lanes)
Fernverkehrsstraße, Straßennummern		Trunk road · Road numbers
Wichtige Hauptstraße		Important main road
Hauptstraße · Tunnel · Brücke		Main road · Tunnel · Bridge
Nebenstraßen		Minor roads
Fahrweg · Fußweg		Track · Footpath
Wanderweg (Auswahl)		Tourist footpath (selection)
Eisenbahn mit Fernverkehr		Main line railway
Zahnradbahn, Standseilbahn		Rack-railway, funicular
Kabinenschwebebahn · Sessellift		Aerial cableway · Chair-lift
Autofähre		Car ferry
Personenfähre		Passenger ferry
Schifffahrtslinie		Shipping route
Naturschutzgebiet · Sperrgebiet		Nature reserve · Prohibited area
Nationalpark, Naturpark · Wald		National park, natural park · Forest
Straße für Kfz. gesperrt		Road closed to motor vehicles
Straße mit Gebühr		Toll road
Touristenstraße · Pass		Tourist route · Pass
Schöner Ausblick · Rundblick · Landschaftlich bes. schöne Strecke		Scenic view · Panoramic view · Route with beautiful scenery
Heilbad · Schwimmbad		Spa · Swimming pool
Jugendherberge · Campingplatz		Youth hostel · Camping site
Golfplatz · Sprungschanze		Golf-course · Ski jump
Kirche im Ort, freistehend · Kapelle		Church · Chapel
Kloster · Klosterruine		Monastery · Monastery ruin
Synagoge · Moschee		Synagogue · Mosque
Schloss, Burg · Schloss-, Burgruine		Palace, castle · Ruin
Turm · Funk-, Fernsehturm		Tower · Radio-, TV-tower
Leuchtturm · Kraftwerk		Lighthouse · Power station
Wasserfall · Schleuse		Waterfall · Lock
Bauwerk · Marktplatz, Areal		Important building · Market place, are
Ausgrabungs- u. Ruinenstätte · Bergwerk		Arch. excavation, ruins · Mine
Dolmen · Menhir · Nuraghen		Dolmen · Menhir · Nuraghe
Hünen-, Hügelgrab · Soldatenfriedhof		Cairn · Military cemetery
Hotel, Gasthaus, Berghütte · Höhle		Hotel, inn, refuge · Cave

Kultur — **Culture**

Deutsch	Symbol	English
Malerisches Ortsbild · Ortshöhe	WIEN (171)	Picturesque town · Elevation
Eine Reise wert	★★ MILANO	Worth a journey
Lohnt einen Umweg	★ TEMPLIN	Worth a detour
Sehenswert	Andermatt	Worth seeing

Landschaft — **Landscape**

Deutsch	Symbol	English
Eine Reise wert	★★ Las Cañadas	Worth a journey
Lohnt einen Umweg	★ Texel	Worth a detour
Sehenswert	Dikti	Worth seeing

Ausflüge & Touren — **Excursions & tours**

Perfekte Route — **Perfect route**

MARCO POLO Highlight — **MARCO POLO Highlight**

FÜR DIE NÄCHSTE REISE ...

ALLE **MARCO POLO** REISEFÜHRER

DEUTSCHLAND

Allgäu
Bayerischer Wald
Berlin
Bodensee
Chiemgau/
  Berchtesgadener
  Land
Dresden/
  Sächsische
  Schweiz
Düsseldorf
Eifel
Erzgebirge/
  Vogtland
Föhr/Amrum
Franken
Frankfurt
Hamburg
Harz
Heidelberg
Köln
Lausitz/
  Spreewald/
  Zittauer Gebirge
Leipzig
Lüneburger Heide/
  Wendland
Mecklenburgische
  Seenplatte
Mosel
München
Nordseeküste
  Schleswig-
  Holstein
Oberbayern
Ostfriesische Inseln
Ostfriesland/
  Nordseeküste
  Niedersachsen/
  Helgoland
Ostseeküste
  Mecklenburg-
  Vorpommern
Ostseeküste
  Schleswig-
  Holstein
Pfalz
Potsdam
Rheingau/
  Wiesbaden
Rügen/Hiddensee/
  Stralsund
Ruhrgebiet
Sauerland
Schwarzwald
Stuttgart
Sylt
Thüringen
Usedom
Weimar

Steiermark
Tessin
Tirol
Wien
Zürich

ÖSTERREICH SCHWEIZ

Berner Oberland/
  Bern
Kärnten
Österreich
Salzburger Land
Schweiz

FRANKREICH

Bretagne
Burgund
Côte d'Azur/
  Monaco
Elsass
Frankreich
Französische
  Atlantikküste
Korsika
Languedoc-
  Roussillon
Loire-Tal
Nizza/Antibes/
  Cannes/Monaco
Normandie
Paris
Provence

ITALIEN MALTA

Apulien
Dolomiten
Elba/Toskanischer
  Archipel
Emilia-Romagna
Florenz
Gardasee
Golf von Neapel
Ischia
Italien
Italienische Adria
Italien Nord
Italien Süd
Kalabrien
Ligurien/Cinque
  Terre
Mailand/
  Lombardei
Malta/Gozo
Oberital. Seen
Piemont/Turin
Rom
Sardinien
Sizilien/Liparische
  Inseln
Südtirol
Toskana
Umbrien
Venedig
Venetien/Friaul

SPANIEN PORTUGAL

Algarve
Andalusien
Barcelona
Baskenland/
  Bilbao
Costa Blanca
Costa Brava
Costa del Sol/
  Granada

Fuerteventura
Gran Canaria
Ibiza/Formentera
Jakobsweg/
  Spanien
La Gomera/
  El Hierro
Lanzarote
La Palma
Lissabon
Madeira
Madrid
Mallorca
Menorca
Portugal
Spanien
Teneriffa

NORDEUROPA

Bornholm
Dänemark
Finnland
Island
Kopenhagen
Norwegen
Oslo
Schweden
Stockholm
Südschweden

WESTEUROPA BENELUX

Amsterdam
Brüssel
Cornwall und
  Südengland
Dublin
Edinburgh
England
Flandern
Irland
Kanalinseln
London
Luxemburg
Niederlande
Niederländische
  Küste
Schottland

OSTEUROPA

Baltikum
Budapest
Danzig
Krakau
Masurische Seen
Moskau
Plattensee
Polen
Polnische
  Ostseeküste/
  Danzig
Prag
Slowakei
St. Petersburg
Tallinn
Tschechien
Ukraine
Ungarn
Warschau

SÜDOSTEUROPA

Bulgarien
Bulgarische
  Schwarzmeer-
  küste
Kroatische Küste/
  Dalmatien
Kroatische Küste/
  Istrien/Kvarner
Montenegro
Rumänien
Slowenien

GRIECHENLAND TÜRKEI ZYPERN

Athen
Chalkidiki/
  Thessaloniki
Griechenland
  Festland
Griechische Inseln/
  Ägäis
Istanbul
Korfu
Kos
Kreta
Peloponnes
Rhodos
Samos
Santorin
Türkei
Türkische Südküste
Türkische Westküste
Zákinthos/Itháki/
  Kefalloniá/Léfkas
Zypern

NORDAMERIKA

Alaska
Chicago und
  die Großen Seen
Florida
Hawai´i
Kalifornien
Kanada
Kanada Ost
Kanada West
Las Vegas
Los Angeles
New York
San Francisco
USA
USA Ost
USA Südstaaten/
  New Orleans
USA Südwest
USA West
Washington D.C.

MITTEL- UND SÜDAMERIKA

Argentinien
Brasilien
Chile
Costa Rica
Dominikanische
  Republik

Jamaika
Karibik/
  Große Antillen
Karibik/
  Kleine Antillen
Kuba
Mexiko
Peru/Bolivien
Venezuela
Yucatán

AFRIKA UND VORDERER ORIENT

Ägypten
Djerba/
  Südtunesien
Dubai
Israel
Jordanien
Kapstadt/
  Wine Lands/
  Garden Route
Kapverdische
  Inseln
Kenia
Marokko
Namibia
Rotes Meer/Sinai
Südafrika
Tansania/
  Sansibar
Tunesien
Vereinigte
  Arabische
  Emirate

ASIEN

Bali/Lombok/Gilis
Bangkok
China
Hongkong/Macau
Indien
Indien/Der Süden
Japan
Kambodscha
Ko Samui/
  Ko Phangan
Krabi/Ko Phi Phi/
  Ko Lanta
Malaysia
Nepal
Peking
Philippinen
Phuket
Shanghai
Singapur
Sri Lanka
Thailand
Tokio
Vietnam

INDISCHER OZEAN UND PAZIFIK

Australien
Malediven
Mauritius
Neuseeland
Seychellen

REGISTER

In diesem Register sind alle im Reiseführer erwähnten Sehenswürdigkeiten und Ausflugsziele aufgeführt. Gefettete Seitenzahlen verweisen auf den Haupteintrag.

Acharávi 29, 30, **48**, 50, 52, 107
Achíllion 12, 31, **47**
Afiónas 30, **55**, 56
Agía Ekateríni 51, **52**
Agía Theodóri **40**
Agía Varvára 73
Agías Efthímias, Kérkyra **40**
Ágii Déka **77**, 109
Ágii Theodóri, Kérkyra 94
Ágios Geórgios Argirádon 15, 31, **68**, 73, 103
Ágios Geórgios Pagón 14, 30, **55,** 103
Ágios Górdis 15, 68, **73**, 102
Ágios Ioánnis **88**, 107
Ágios Jáson ke Sossípatros, Kérkyra 20, **39**, 96
Ágios Matthéos **75**
Ágios Nikólaos Beach 84
Ágios Nikólas Gate, Kérkyra **38**
Ágios Spirídonas, Kérkyra **39**, 51, 53, 96
Ágios Stéfanos Avliotón 14, 29, 30, **56**
Ágios Stéfanos Siniés **62**
Agíu Iakóvu ke Christophóru, Kérkyra **42**
Agní **62**
Almirós Beach 51
Alonáki 31
Alte Festung, Kérkyra **34**, 37, 109
Alter Palast, Kérkyra **35**, 41, 42
Análipsis 38, 96, 106
Angelókastro 30, 65, **66**, 67
Áno Korakiána **85**, 96, 102
Antípaxos 98, 111
Aqualand 88, 107
Archäologisches Museum, Kérkyra **35**
Arillás 30, **55**, 56
Artemis-Tempel, Kérkyra **36**, 94
Astrakéri **53**
Avláki **62**
Banknoten-Museum, Kérkyra **36**
Barbáti **58**
Basilika von Paleópolis, Kérkyra **37**, 95
Batería Beach 61

Benítses 68, **78**, 109
Britischer Friedhof, Kérkyra **37**
Búkari 15, **78**, 79
Butrint, Albanien 99
Byzantinisches Museum, Kérkyra **37**
Canal d'Amour 55
Chalikúnas 15, 68
Chlómos **79**
Corfu Trail 92, 102
Dafníla **81**, 102
Dassiá **81**, 86, 102, 103, 105, 113
Doric Temple, Kérkyra 41, 95
Érmones 81, **92**, 102, 103
Esplanade, Kérkyra 12, 16, **38**, 42
Evstrámenou, Nímfes 53
Faliráki, Kérkyra **38**
Folkloremuseum, Sinarádes 93
Friedhofskirche, Kérkyra **38**, 94
Gardénos 73, 104
Gardíki **72**, 109
Gialiskári Beach 62
Glifáda 15, 81, **89**
Guviá 82, **86**, 88, **97**, 100, 103
Hydropolis 52, 107
Igoumenítsa 73
Ipapánti, Dafnílas 82
Ípsos **86**
Kaizer's Throne 90
Kalamaki 11
Kalámi **62**, 96
Kamináki Beach **63**
Kanóni, Kérkyra **38**, 82, 96, 106
Kap Akrotíri Agías Ekaterínis 102
Kap Akrotíri Arkoúdia 102
Kap Asprókavos 68
Kap Drástis 14, 30, 54, **57**
Kardáki-Quelle, Kérkyra **38**
Kassiópi 48, **59**, 96, 109
Káto Korakiána 17, 113
Kávos 15, **72**, 98, 101
Kérkyra 12, 13, 28, 30, **32**, 77, **94**, 96, 98, 105, 106, 108, 112, 113, 115, 116
Kinopiástes 16
Komménο 83, 84

Kontokáli **86**, 88, 103
Koríssion-See 31, 68, 69
Kremastí-Brunnen, Kérkyra **40**
Kulúra **63**, 96
Lákones 29, 30, **63**
Lefkími 15, 31, 68, **72**, 73, 105
Liapádes **63**
Makrádes 28, 29, **67**
Marathiás **73**
Mathráki 111
Megáli Lakiá 73
Messongí 68, **76**, 98, 108
Mirtiótissa 80, 81, **89**, 91, 100
Mitrópolis, Kérkyra **40**
Mon Repos, Kérkyra 38, **41**, 95
Moní Myrtidión 90
Moraítika 16, 68, **76**, 98
Museum der Asiatischen Kunst, Kérkyra **41**
Néa Períthia 54
Néo Frúrio, Kérkyra **41**
Neue Festung, Kérkyra **41**
Nímfes **53**, 109
Nissáki **58**, 96
Nótos Beach 79
Othoní 14
Pági 55
Paleó Chorió **58**
Paleó Períthia **54**, 96
Paleokastrítsa 14, 18, 30, 48, **63**, **97**, 102, 103, 109
Panagía Antivuniótissa, Kérkyra 37
Panagía Kassiópitra, Kassiópi 60
Panagía Mirtiótissa 90
Panagía Theotóku tis Paleokastrítsas 64
Panagías Spiliótissis ke Agíon Vlasíu ke Theodóras, Kérkyra **40**
Pantokrátor 30, 48, 54, 58, **59**, 80, **96**
Paramónas 31, **75**
Páxos 77, **98**, 101, 110, 111
Pélekas 15, 31, 80, 86, **89**, 109
Pendáti 31, **76**
Perivóli **73**
Pérka 73

134

IMPRESSUM

Peruládes 14, 30, 54, 55, **57**
Petalia 94
Petríti 73, **79**
Pirgí **86**
Pontikoníssi, Kérkyra **38**
Rathaus, Kérkyra **41**
Róda **48**, 51, 113
Römische Thermen,
Acharávi 49
Ropa Valley 31, **93**, 101
Schulenburg-Denkmal, Kérkyra **42**
Sidári 30, 48, **54**
Sinarádes 81, **93**
Sokráki **86**, 96
Städtische Pinakothek, Kérkyra **42**
Strinílas 29, 30, **59**, 96
Venezianische Werfthallen, Guviá 82, 87
Vídos, Kérkyra **42**
Vístonas **67**
Vitaládes **73**
Vlachérna, Kérkyra **38**, 82
Vrakaniotika 17

SCHREIBEN SIE UNS!

Egal, was Ihnen Tolles im Urlaub begegnet oder Ihnen auf der Seele brennt, lassen Sie es uns wissen! Ob Lob, Kritik oder Ihr ganz persönlicher Tipp – die MARCO POLO Redaktion freut sich auf Ihre Infos.
Wir setzen alles dran, Ihnen möglichst aktuelle Informationen mit auf die Reise zu geben. Dennoch schleichen sich manchmal Fehler ein – trotz gründlicher Recherche unserer Autoren/innen. Sie haben sicherlich Verständnis, dass der Verlag dafür keine Haftung übernehmen kann.

MARCO POLO Redaktion
MAIRDUMONT
Postfach 31 51
73751 Ostfildern
info@marcopolo.de

IMPRESSUM
Titelbild: Fischerboote im Hafen von Kassiópi (gettyimages/Robert Harding World Imagery: Rooney)
Fotos: K. Bötig (1 u., 23, 53, 61, 87, 108); C. Dehnicke (3 o., 68/69, 93); DuMont Bildarchiv: Fabig (U. r., 98, 107, 110 o.); Etrusco Restaurant (17 o.); © fotolia.com: StrangerView (17 u.); gettyimages/Robert Harding World Imagery: Rooney (1); Grecotel S. A. (84/85); R. Hackenberg (20, 34, 36, 39, 54, 67, 108/109, 109); Huber: Dutton (26r., 26l.); Huber: Giovanni Simeone (2 M. u., 10/11, 12/13, 18/19, 32/33, 62/63), Hanna Simeone (74), Johanna Huber (4), Mehlig (2 u., 48/49); F. Ihlow (3 M. o., 29, 30 l., 42, 47, 59, 94/95, 110 u., 111, 124/125); © iStockphoto.com: Alan Crawford (16 u.), David L. Hewis (16 o.), Ladida (16 M.); Laif/Hemis: Gardel (9); Laif: Emmler (3 M. u.), Hilger (57), IML (97), Kristensen (27, 79), Trummer (64); E. Laue (50, 60, 82); Look: Frei (28), Kreder (6); mauritius images: AGE (99), Axiom Photographic (103); Okapia: Kraus (72); Patounis (8); T. Stankiewicz (U. l., 2 o., 5, 15, 24/25, 45, 78, 80/81, 89); Transit Archiv: Eisler (2 M. o., 7, 30 r., 37, 41, 96); vario images: Profimedia (91, 100/101), Westend61 (104/105); H. Wagner (70, 76)

9., aktualisierte Auflage 2014
© MAIRDUMONT GmbH & Co. KG, Ostfildern
Chefredaktion: Marion Zorn
Autor: Klaus Bötig
Redaktion: Marlis v. Hessert-Fraatz
Verlagsredaktion: Ann-Katrin Kutzner, Nikolai Michaelis, Martin Silbermann
Prozessmanagement Redaktion: Verena Weinkauf
Bildredaktion: Gabriele Forst
Im Trend: wunder media, München
Kartografie Reiseatlas und Faltkarte: © MAIRDUMONT, Ostfildern
Innengestaltung: milchhof:atelier, Berlin; Titel, S. 1, Titel Faltkarte: factor product münchen
Sprachführer: in Zusammenarbeit mit Ernst Klett Sprachen GmbH, Stuttgart, Redaktion PONS Wörterbücher
Das Werk einschließlich aller seiner Teile ist urheberrechtlich geschützt. Jede urheberrechtsrelevante Verwertung ist ohne Zustimmung des Verlags unzulässig und strafbar. Das gilt insbesondere für Vervielfältigungen, Übersetzungen, Nachahmungen, Mikroverfilmungen und die Einspeicherung und Verarbeitung in elektronischen Systemen.
Printed in China

BLOSS NICHT ☝

Ein paar Dinge, die Sie auf Korfu beachten sollten

ZU SPÄRLICH BEKLEIDET SEIN

Am Strand und in den Badeorten haben sich die Griechen an nackte Haut gewöhnt. In den Binnendörfern aber machen sich viele Urlauber durch allzu knappe Bekleidung meist lächerlich. In Kirchen und Klöstern müssen Sie Knie und Schultern bitte bedeckt halten.

WIE DIE PAPARAZZI AUFTRETEN

Viele Griechen lassen sich gern fotografieren, hassen aber jene Urlauber, die sich wie Jäger auf Fotopirsch aufführen. Bevor Sie auf den Auslöser drücken, sollten Sie daher mit einem Lächeln das Einverständnis Ihres Gegenübers einholen.

BRANDGEFAHR UNTERSCHÄTZEN

Die Waldbrandgefahr auf Korfu ist groß. Raucher werden um besondere Vorsicht gebeten.

EINSCHÜCHTERN LASSEN

Reiseleiter leben auch von Provisionen. Die meisten informieren zwar offen und ehrlich – manche schwarze Schafe versuchen jedoch ihren Gästen Angst einzuflößen, damit sie den Mietwagen bei ihnen buchen und an organisierten Ausflügen teilnehmen, statt mit dem Linienbus oder Taxi zu fahren. Korfu ist eine in jeder Hinsicht ungefährliche Insel – Angst vor Einheimischen braucht hier niemand zu haben.

NACH KONKURRENTEN FRAGEN

Griechen sind ziemlich ehrlich. Aber fragen Sie nie in einer Taverne nach einer anderen – man wird Ihnen erzählen, es gebe sie nicht, der Wirt sei gestorben oder die Polizei habe sie geschlossen.

SCHUHE ZUM WANDERN VERGESSEN

Auch auf kleinen Wanderungen sollte man keine Sandalen, sondern mindestens festere Turnschuhe tragen. Die Wege sind oft steinig und rutschig. Außerdem gibt es Schlangen, die zwar relativ selten und scheu sind, aber man weiß ja nie. Lange Hosen schützen vor Dornen.

DEN ASPHALT VERLASSEN

Wer mit dem Mietwagen den Asphalt verlässt, fährt ohne Versicherungsschutz und muss jeden Schaden selbst bezahlen. Schäden an der Wagenunterseite und an den Reifen sind auf Korfu grundsätzlich nicht von Versicherungen gedeckt!

SICH VOM FISCHPREIS ÜBERRASCHEN LASSEN

Frischer Fisch ist in Griechenland in Restaurants und Tavernen schon seit Langem extrem teuer. Er wird oft nach Gewicht verkauft. Man sollte sich den Kilopreis nennen lassen und beim Auswiegen dabei sein, um beim Bezahlen unangenehme Überraschungen zu vermeiden.